# EU SOU EXU

*Querido leitor(a).*
*Desejo, sinceramente, que este livro lhe traga muita paz, conhecimento, felicidade, equilíbrio e amor.*

# OSMAR BARBOSA

Pelo Espírito Lucas

# EU SOU EXU

BOOK ESPÍRITA
Editora

# OSMAR BARBOSA

Pelo Espírito Lucas

# EU SOU EXU

Book Espírita Editora
*3ª Edição*
| Rio de Janeiro | 2021 |

# Outros livros psicografados por Osmar Barbosa

Cinco Dias no Umbral

Gitano - As Vidas do Cigano Rodrigo

O Guardião da Luz

Orai & Vigiai

Colônia Espiritual Amor e Caridade

Ondas da Vida

Antes que a Morte nos Separe

Além do Ser - A História de um Suicida

A Batalha dos Iluminados

Joana D'Arc

500 Almas

Cinco Dias no Umbral - O Resgate

Entre nossas Vidas

O Amanhã nos Pertence

O Lado Azul da Vida

Mãe, Voltei!

Depois...

O Lado Oculto da Vida

*Entrevista com Espíritos - Os Bastidores
do Centro Espírita*

*Colônia Espiritual Amor e Caridade - Dias de Luz*

*O Médico de Deus*

*Amigo Fiel*

*Impuros - A Legião de Exus*

*Vinde à Mim*

*Autismo - A escolha de Nicolas*

*Umbanda para Iniciantes*

*Parafraseando Chico Xavier*

*Cinco Dias no Umbral - O Perdão*

*Acordei no Umbral*

*A Rosa do Cairo*

*Deixe-me Nascer*

*Obssessor*

*Regeneração – Uma Nova Era*

*Deametria – Hospital Amor e Caridade*

*A Vida após a Morte*

*Deus nos concede, a cada dia, uma página de
vida nova no livro do tempo. Aquilo que colocarmos nela,
corre por nossa conta.*

*Chico Xavier*

# Agradecimento

Agradeço, primeiramente, a Deus por ter me concedido esse dom, esse verdadeiro privilégio de servir humildemente como um mero instrumento dos planos superiores.

Agradeço a Jesus Cristo, espírito modelo, por guiar, conduzir e inspirar meus passos nessa desafiadora jornada terrena.

Agradeço a Lucas pela oportunidade e por permitir que estas humildes palavras, registradas neste livro, ajudem as pessoas a refletirem sobre suas atitudes, evoluindo.

Agradeço ainda a minha família, pela cumplicidade, compreensão e dedicação. Sem vocês ao meu lado me dando todo tipo de suporte, nada disso seria possível.

Agradeço a todos da Fraternidade Espírita Amor & Caridade pela parceria nesta nobre e importante missão que, juntos, desempenhamos todos os dias com tanta devoção.

E agradeço a você, leitor, que comprou este livro e com sua colaboração nos ajudará a conseguir levar a Doutrina Espírita e todos os seus benefícios e ensinamentos para mais e mais pessoas.

Obrigado.

A todos, os meus mais sinceros agradecimentos.

*Tudo recomeça quando a vida termina.*

*Osmar Barbosa*

**BOOK ESPÍRITA EDITORA**

ISBN: 978-85-92620-00-4

**Capa**
Marco Mancen

**Projeto Gráfico e Diagramação**
Marco Mancen Design

**Ilustrações Miolo**
Manoela Costa

**Revisão**
Josias A. de Andrade

**Marketing e Comercial**
Michelle Santos

---

**Pedidos de Livros e Contato Editorial**
comercial@bookespirita.com.br

Copyright © 2021 by
BOOK ESPÍRITA EDITORA
Região Oceânica, Niterói, Rio de Janeiro.

3ª edição
**Prefixo Editorial:** 92620
*Impresso no Brasil*

---

Todos os direitos reservados e protegidos pela Lei 9.610, de 19/02/1998. Nenhuma parte deste livro pode ser reproduzida ou transmitida por quaisquer formas ou meios eletrônicos ou mecânicos, incluindo fotocópia, gravação, digitação, entre outros, sem permissão expressa, por escrito, dos editores.

*Conheça um pouco mais de Osmar Barbosa em*
***www.osmarbarbosa.com.br***

*A missão do médium é o livro.
O livro é chuva que fertiliza lavouras imensas, alcançando milhões de almas.*

*Emmanuel*

# Sumário

DEMÔNIOS..................................................................27

O RESGATE................................................................37

A COLÔNIA ................................................................47

OUTRAS VIDAS..........................................................63

VIDA PREGRESSA.....................................................83

ISABELLA....................................................................85

O MASSACRE..........................................................103

AS CASAS ESPÍRITAS.............................................113

DE VOLTA À VIDA....................................................123

IMORTALIDADE DA ALMA.....................................135

O RECOMEÇO.........................................................143

RENASCER..............................................................157

A PORTA ABERTA...................................................167

A VIAGEM.................................................................173

A GRANDE LIÇÃO...................................................185

LOLA.........................................................................205

*Deus é tão justo que permite a todos os espíritos escolherem suas provas.*

*Osmar Barbosa*

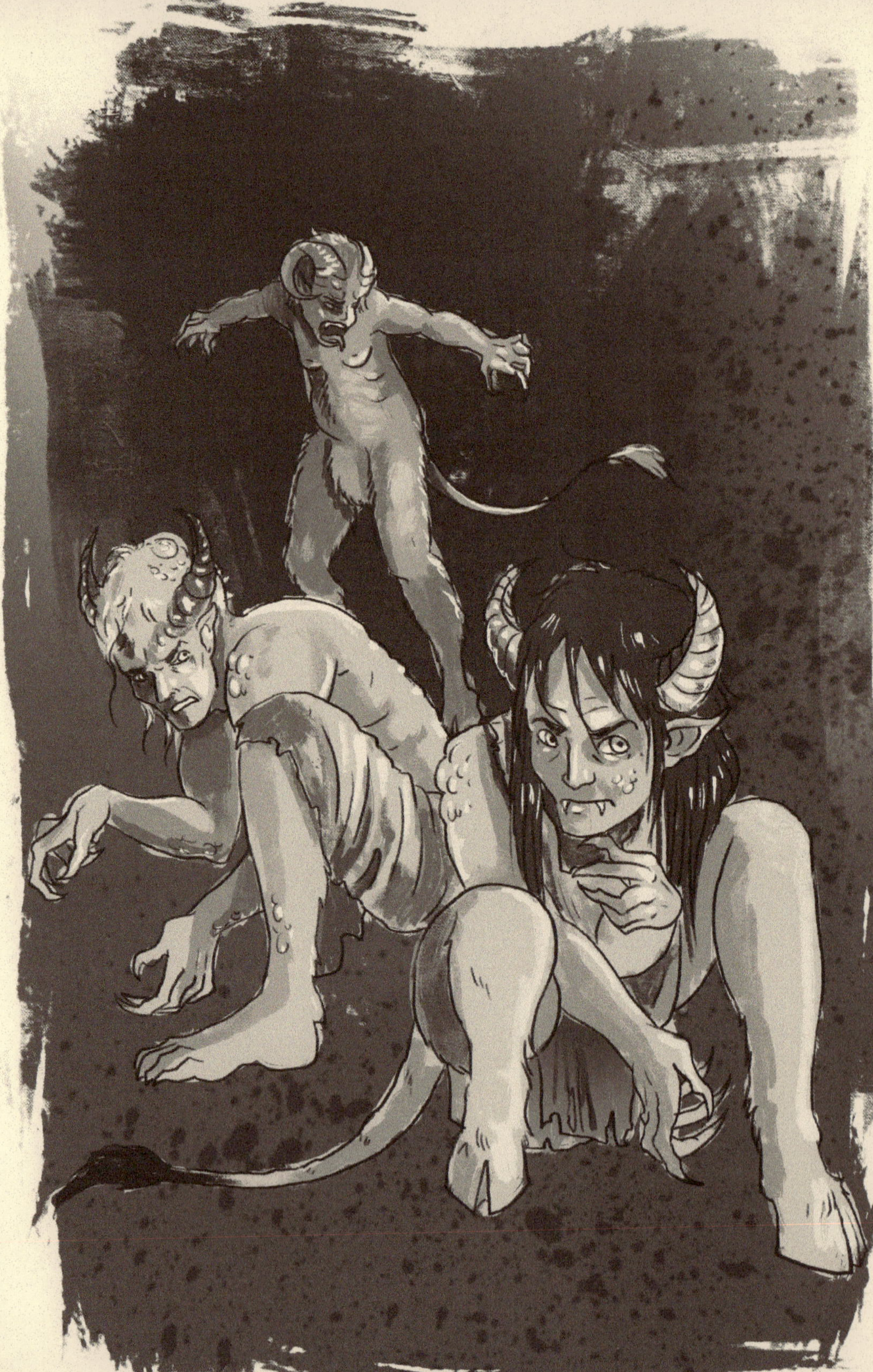

# Demônios

*Os demônios segundo o Espiritismo*

A palavra demônio vem da raiz grega *"daimónion"* que, por sua vez, nos deu o étimo latino *"daemoniu"*. O Dicionário Aurélio registra a palavra demônio como sendo "gênio ou representação do mal; Espírito maligno, Espírito das trevas; Lúcifer, Satanás, Diabo" etc.

Esclarece-nos nosso festejado Humberto de Campos, que milhões de desencarnados permanecem imantados à crosta do mundo, impedindo o progresso mental das criaturas que lhes são afins. Preferem a discórdia e a malícia e agem como autênticos demônios soltos. Quando podem e quando encontram atmosfera favorável, jogam as criaturas encarnadas umas contra as outras, destilando venenos cruéis, numa tentativa alucinada de atrapalhar o progresso espiritual que todos os espíritos têm dentro de si.

Meus amigos, perante nossa Doutrina, nem anjos nem demônios são entidades distintas. Sabemos que Deus criou os espíritos iguais e todos partiram do mesmo ponto. Unidos aos corpos materiais, esses seres constituem a humanidade que povoa a Terra e outras esferas habitadas. Quando libertos dos corpos materiais, esses seres constituem o mundo espiritual. Os espíritos povoam todos os espaços. Deus criou os espíritos com o nobre propósito de se aperfeiçoarem, tendo por objetivo maior, a perfeição e, em consequência, a felicidade que decorre da perfeição.

Deus não deu de início, a nós, espíritos, a perfeição e, por isso mesmo temos que obtê-la com os nossos próprios esforços, caso contrário, não teríamos nenhum mérito. Desde o momento de sua criação, os espíritos devem progredir, quer como encarnados quer no estado espiritual. Atingindo o ápice da evolução moral, nós, espíritos, nos tornamos puros.

Assim, a partir do embrião do Ser Inteligente até ao estado de Espírito Puro, há uma cadeia em que cada um dos elos assinala um grau de progresso. Assim sendo, podemos concluir que há espíritos em todos os graus de adiantamento moral e intelectual, conforme a posição em que se acha. Em todos os graus existe, portanto, ignorância e saber, bondade e maldade, perfeição e imperfeição. Só quando o espírito atinge o ápice desta escada imensa, é que ele se torna um espírito puro, bom e sábio.

Nas bases inferiores desta escada destacam-se, ainda, espíritos profundamente propensos ao mal, que se comprazem com o mal. Estes espíritos, ainda submersos nos calabouços das trevas, se divertem em perturbar aqueles que com eles tenham afinidades. Esses espíritos malignos, também são denominados pelo vulgo como demônios.

Tais espíritos, classificados como demônios, não constituem uma criação distinta, pois sabemos que os espíritos foram criados todos iguais, caso contrário, onde estaria a Justiça Divina? Esses espíritos malignos, infelizmente, tropeçaram e caíram e ainda não se levantaram. Mas não estão marcados pela fatalidade eterna de serem sempre maus, de serem sempre demônios, porque poderão alcançar a própria regeneração por meio dos longos processos reencarnatórios e das transformações planetárias, tão necessárias ao progresso evolutivo de todos.

Esses espíritos contam também com os nossos trabalhos, que visam esclarecê-los e encaminhá-los aos planos mais elevados. Então, meus amigos, o que o vulgo designa por demônios, perante a Doutrina dos espíritos, são considerados espíritos imperfeitos, suscetíveis de regeneração.

Em nossos dias, ainda encontramos espíritos endurecidos, recalcitrantes, maus, apáticos, obstinados em não nos ouvir e a permanecerem nas trevas, nas classes inferiores.

Esses espíritos sofrem as consequências dessas atitudes, e o hábito do mal lhes dificulta a regeneração. Entretanto, há de chegar o dia em que esses espíritos venham a sentir fundamente a fadiga dessa vida penosa e das respectivas consequências. Então, arrependidos, em longos processos reencarnatórios, haverão de batalhar estoicamente até que possam alcançar os altiplanos das Luzes. Meus amigos, *A LEI DE DEUS É A ETERNA LEI DO PROGRESSO*.

Assim, os Espíritos Puros, que hoje nos ajudam como nossos Anjos, protetores, mentores etc., escalaram, com os próprios méritos, a imensa escada da perfeição. Também os espíritos ainda impuros, que se comprazem com o mal, haverão de ser guindados para os degraus superiores, por meio das provas e das expiações, deixarão de ser demônios e passarão a integrar as esferas mais saturadas de Luz.

Nestas circunstâncias, perante a Doutrina dos espíritos, não há anjos nem demônios, mas espíritos puros e impuros, que estão compulsoriamente destinados à perfeição.

Temos diante de nós uma imensa escada, e ainda nos encontramos nos primeiros degraus. Procuremos, então, por meio de nossos trabalhos na Seara do Bem, mediante nossos esforços de autoaprimoramento e pela caridade e amor ao próximo, arregimentar as forças necessárias para subirmos mais alguns degraus evolutivos.

Sabemos que Deus se utiliza daquilo que melhor temos em nosso ser para auxiliarmos o progresso de toda a Sua criação. Sendo assim, se você foi médico em muitas encarnações, o melhor de você é a parte do médico e isso certamente será utilizado na erraticidade para auxiliar ao todo.

Um espírito que tenha vivido por muitos anos nas regiões umbralinas, lidando diariamente com espíritos malignos, certamente sua melhor parte é a parte maligna, e isso certamente será utilizado pelo Criador, para auxiliar ao todo. Lembremo-nos...

*Tudo se liga, e nada se perde nas coisas de Deus.*

E assim sendo, o que você tem de bom dentro de si servirá ao propósito evolutivo de toda a criação. Mesmo que o que você tenha de bom seja algo muito ruim, isso também é aproveitado para o todo, pois a parte ruim servirá de exemplo para aqueles que ainda necessitam de exemplos para evoluir.

Exemplo disso é quando cai um avião cheio de almas. Isso, aos olhos de muitos, é uma tragédia, mas tem um propósito; muitas das vezes esses resgates coletivos foram combinados anteriormente com os espíritos que eram passageiros da tragédia.

Assim tudo tem um propósito, tudo tem um motivo, tudo se afina com a vontade maior. A evolução.

Creia que Deus é misericordioso e muito amoroso. Deus proporciona a todos os Seus filhos, sem distinção, oportunidades evolutivas. Nós somos quem decide seguir, ou não. Isso nós chamamos de livre-arbítrio. Muitos não acreditam que as coisas funcionam assim: mas deixe-me alertá-los para o seguinte:

Quem de nós tem a coragem de jogar nossos filhos em uma fogueira bem grande e com labaredas imensas onde o fogo, em alta temperatura, aniquila tudo que dentro dele é jogado? Quem de nós tem a coragem de ver um filho sofrendo e não fazer nada?

Quem de nós tem a coragem de mutilar um filho?

Quem de nós quer uma desgraça para um filho?

Quem de nós, ao perceber uma bala perdida, não colocaria seu próprio peito para salvar a vida de um filho?

Por que acreditar que com Deus as coisas são diferentes? Você, meu irmão ou minha querida irmã, acha mesmo que Deus não está vendo tudo o que está acontecendo em sua vida? Você acha que Deus não conhece seus pensamentos, seus desejos e suas vontades?

Às vezes pecamos por pensamento, e Ele sabe perfeitamente o que fazer. Deus nos proporciona a todo momento oportunidades infinitas de nos aperfeiçoarmos.

Quando um filho nosso vai mal na escola, o que fazemos? Mandamos que abandone os estudos ou insistimos para que passe de ano? O que você faz? Você tenta auxiliá-lo ou desiste de suas conquistas e suas vitórias? O que você faz? Você contrata um explicador para auxiliá-lo ou simplesmente desiste de seu filho? Você insiste ou desiste?

Pois bem, Deus não desiste de nenhum de Seus filhos, Ele manda explicadores, Ele proporciona oportunidades para que todos nós consigamos chegar ao mais alto grau evolutivo. Não tenhas dúvida de que as coisas são assim.

Deus é amor, bondade e perfeição. Deus não pune, Deus proporciona a todos os Seus filhos recomeços.

Querido amigo, o papo está muito bom, mas tenho uma linda história de superação e, principalmente, de oportunidades que trago nestas linhas. Venha comigo conhecer a história de Mateus e todos os espíritos ligados a ele em: *Eu sou Exu.*

Osmar Barbosa

*O Espiritismo não é a Religião do Futuro,
mas o Futuro das Religiões.*

*Daniel*

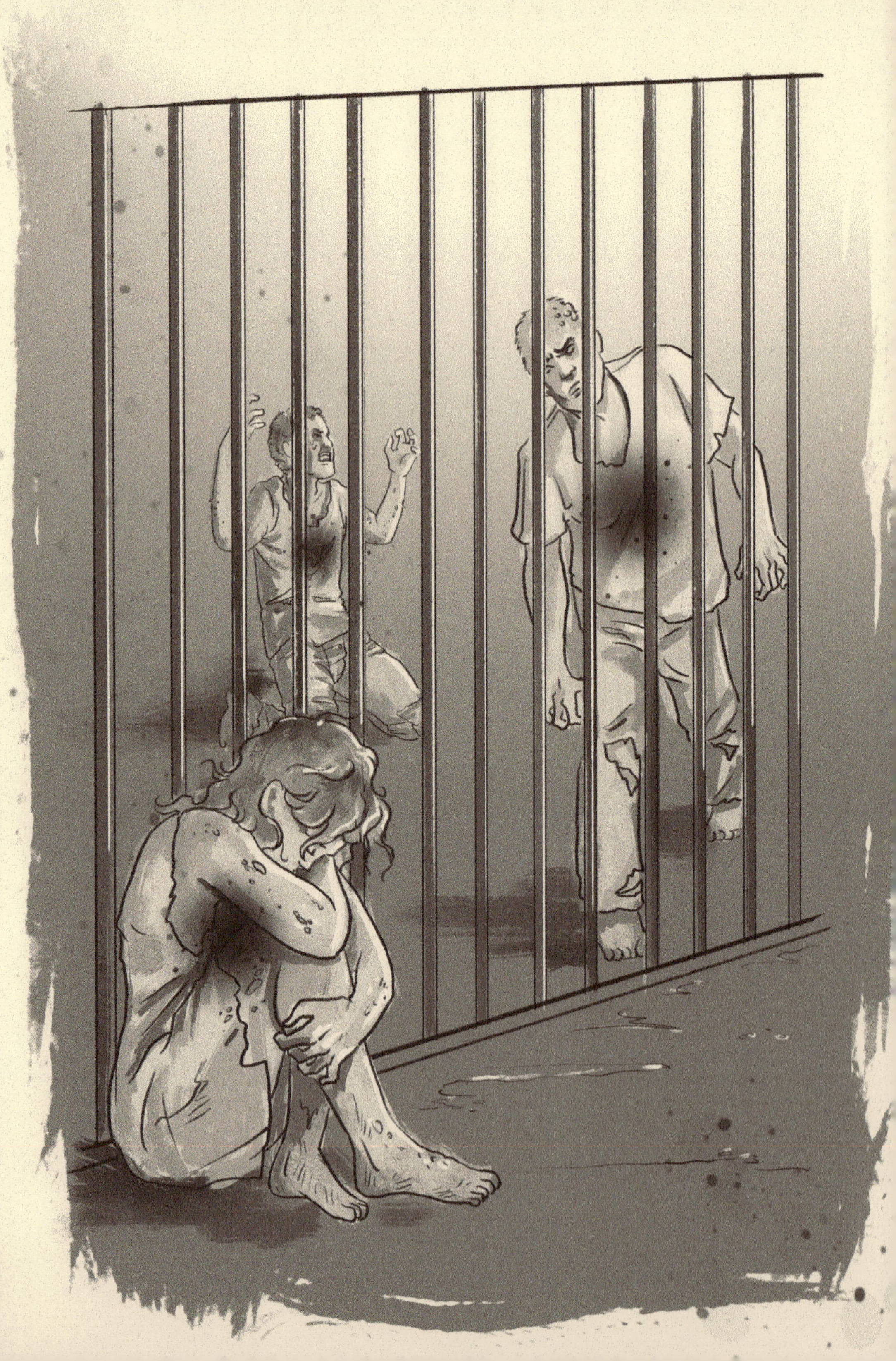

OSMAR BARBOSA

# O Resgate

Mateus está caído, deitado de bruços; seu corpo sangra perfurado por diversos tiros que se contam mais de trinta. Podem-se ver ainda, pelos buracos das balas, um líquido escorrendo como se fosse sangue, porém negro como sangue pisado, ou uma água suja que sai do corpo do jovem rapaz.

Suas roupas estão sujas, muito sujas de sangue e lama. Ele usa uma calça jeans escura, veste camisa preta e calça tênis de marca famosa. Ao lado de sua boca, há uma grande quantidade de vermes tentando entrar por seus orifícios, insistindo em entrar pelo ouvido e nariz.

A cena é terrível. Seu corpo não reage a nenhum estímulo. Pode-se ver ali um corpo sem vida e pronto para ser devorado pelas minúsculas criaturas do terrível lugar. Há centenas de outros corpos mutilados andando de um lado para outro como verdadeiros zumbis perdidos sem nenhuma capacidade de raciocínio e em pedaços. Há corpos sem pernas e outros mutilados, mas que incrivelmente conseguem se locomover em meio a tanta lama e podridão.

Alguns se seguram em outros e assim conseguem locomover-se de um lado para outro. Eles não conseguem balbuciar uma palavra completa, só algumas palavras perdidas e murmúrios de dor e sofrimento.

São verdadeiros zumbis. A escuridão é total.

Mulheres, homens e jovens adolescentes estão entre tantos espíritos neste lugar de dor e sofrimento. O sol não aparece e a chuva fina é constante.

Entre nuvens aparece uma pequena claridade vinda de raios solares distantes, o que torna o lugar muito escuro e frio. Estranhos pássaros sobrevoam os corpos caídos como se fossem urubus esperando a hora certa para degustar os defuntos podres caídos ao chão. Porém vivos, inexplicavelmente. Há neles uma centelha de vida.

Daniel e Lucas são espíritos iluminados e se aproximam do lugar sombrio. São eles que sempre realizam, neste lugar, os resgates; estão habituados a enfrentar as dificuldades que o lugar apresenta. Eles estão à procura de Mateus e logo avistam seu corpo e se aproximam lentamente, auxiliados por outros dois espíritos voluntários que trabalham nas colônias auxiliando os iluminados. Eles trazem nas mãos uma espécie de maca desmontada, daquelas que se usam nos campos de futebol para socorrerem o atleta machucado.

Todos estão vestidos de branco. Um branco tão intenso, que chega a irradiar uma luz que clareia parte do caminho a seguir na pequena estrada que dá acesso ao lugar.

Existem, tanto na Terra como no mundo espiritual, lugares de refazimento. Aqui na Terra chamamos de hospital, e lá no mundo espiritual também é chamado assim. São lugares preparados pelos espíritos superiores para onde são levados os espíritos que necessitam de auxílio.

Primeiro, para se conscientizarem de que morreram; segundo, para o refazimento perispiritual, tão necessário a todos aqueles que de alguma forma bruta sofrem o desencarne. O refazimento é necessário tanto aqui como na erraticidade. Nada é castigo para Deus, lembrem-se, tudo é lição, aprendizado, ensinamento e oportunidade.

Todos nós temos um corpo fluídico, o qual chamamos de perispírito. Essa forma física-espiritual é a forma com que todos nós somos reconhecidos por nossos familiares e amigos que foram antes de nós para a vida eterna. Assim, ao chegarmos ao mundo espiritual, necessitamos de um refazimento para que possamos seguir adiante na vida eterna. Muitos de nós escolhemos ter a forma de nossa juventude, pois o corpo desgastado pelo tempo não nos faz bem na vida eterna. Mas tudo é opcional, somos inteiramente livres para escolher de que forma queremos nos apresentar para aqueles que se separaram de nossa vida na Terra ou em nossas vidas anteriores. É assim que somos reconhecidos.

Daniel e Lucas são espíritos iluminados que estão, há alguns anos, realizando essa tarefa. São eles os primeiros a chegarem nessas regiões e levarem para os hospitais espirituais aqueles que estão muito perturbados e que receberam a misericórdia divina. Pois já sabemos que é por meio das transformações interiores, das orações imanadas do plano material e da reforma íntima, que se consegue ajuda nas regiões mais densas da vida espiritual.

Daniel segue à frente comandando a missão de resgate.

– Venha, Lucas! Acho que ele está logo ali à frente – diz Daniel.

– Sim, Daniel – diz o gentil Lucas.

Após caminharem entre tantos espíritos desesperados, finalmente os iluminados encontram Mateus, que permanece desacordado.

– Venham, rapazes! Coloquem-no na maca e vamos sair daqui o quanto antes.

– Sim, Daniel – diz Marcos, um dos ajudantes.

Rapidamente e auxiliados por Lucas, os ajudantes conseguem colocar Mateus na maca que se abre, e começam a se retirar do lugar sombrio, caminhando lentamente em direção à estrada de volta às colônias.

Três espíritos que estão próximos ao local se manifestam contrários ao resgate, aproximando-se rapidamente de Daniel.

– Ei, ei, parem aí! Onde é que vocês pensam que vão com este rapaz?

– Nós estamos autorizados a resgatá-lo e levá-lo para o hospital, senhor – diz Daniel.

– Mas com ordens de quem? – pergunta o espírito treval que parece ser o líder daquele lugar.

– Nós não queremos confusão, só viemos aqui para resgatar o Mateus por ordens superiores – diz Daniel.

– Mas aqui quem manda sou eu, meu amigo – diz o espírito se mostrando irritado com a intromissão dos iluminados naquele lugar.

– Qual o seu nome? – pergunta o líder.

– Eu me chamo Daniel.

– De onde você vem?

– Venho da Colônia Espiritual Amor & Caridade.

– Ah, a Colônia do bem... já ouvi falar – diz o outro que acompanha o líder do lugar.

– E qual é o seu nome, senhor? – pergunta Daniel.

– Eu me chamo Veludo, Exu Veludo.

– Muito prazer, senhor – diz Daniel, estendendo a mão direita indo ao encontro do espírito para cumprimentá-lo.

Prontamente Veludo estende a mão direita e cumprimenta Daniel.

– Gostei do seu jeito, você mostra mesmo que é um iluminado – diz Veludo.

– Obrigado, senhor – agradece Daniel.

– O que é que vocês vão fazer com este rapaz?

– Vamos levá-lo para a nossa colônia e restabelecer seu juízo, quer dizer, fazer que ele recupere sua razão e suas lembranças e depois vamos colocar em ordem seus pensamentos – diz Lucas, aproximando-se.

– Mas por que vocês não aproveitam e levam mais esse bando de zumbis que vivem a perturbar esse lugar com seus lamentos e arrependimentos? – diz Veludo.

– Nós só podemos levar aqueles que recebem algum tipo de benefício – diz Daniel.

– Como assim? – pergunta Veludo.

– Quando as pessoas se arrependem ou quando os familiares se mantêm em orações por seus entes queridos, eles recebem a misericórdia de Deus e nós somos os encarregados de levá-los para a colônia a fim de realinhá-los para que possam seguir em sua evolução pessoal.

– Já ouvi essa história muitas vezes, Daniel – diz Veludo.

– Então o senhor compreende o que estamos fazendo?

– Sim, compreendo perfeitamente.

– Então podemos seguir adiante? – pergunta Lucas.

– Sabe, Daniel, admiro muito vocês, espíritos iluminados, que trabalham incessantemente para a evolução das almas – diz Veludo.

– Pelo visto o amigo também está trabalhando para auxiliar o todo?

– Sim, também tenho minha missão como dirigente deste lugar. Embora não pareça.

– Parabéns, então Veludo! – diz Lucas.

– Obrigado, rapaz! Agora vá e cuide dessa pobre alma.

– Obrigado, senhor – diz Daniel.

– Vamos indo – diz Lucas acenando para Marcos e o outro amigo voluntário para acelerarem o passo.

– Pois bem, podem levá-lo – diz Veludo.

– Obrigado, senhor – diz Daniel.

— Mas você vai permitir que eles levem o rapaz, mesmo sem conhecê-lo? – diz outro espírito que acompanha Veludo.

— Quem manda aqui sou eu; e cale essa boca maldita, seu porco miserável! Podem ir, amigos – diz Veludo, acenando com a mão direita para o grupo de Daniel.

— Obrigado – diz Lucas.

— Vamos, Daniel. Vamos logo antes que esses outros que estão chegando se aglomerem e dificultem nossa saída deste lugar – diz Marcos, levantando a maca e começando a andar em direção à estrada de volta.

— Esperem! – diz Veludo.

Daniel se volta para trás e olha fixamente o espírito à sua frente.

— O que desejas agora? – diz Daniel.

— Você sabe que quem vem para cá, é aqui que tem que ficar, não sabe?

— Sim, eu sei disso – diz Daniel.

— Você poderia me explicar como funcionam as coisas lá na sua colônia? – pergunta Veludo.

— Em nossa colônia temos os fluidos necessários ao refazimento do Mateus. Lá, tudo está harmonizado e preparado com as mais sublimes energias da criação, aquelas que refazem o perispírito dando-lhe uma forma salutar e harmoniosa – diz Daniel, pacientemente.

— Mas sabes que o lugar de Mateus é entre nós, ou por acaso não sabes? – diz Veludo.

– Sei sim, amigo, eu sei – diz Daniel.

– Então trate de trazê-lo de volta o mais breve possível para que tudo se cumpra.

– Pode deixar, que assim que ele estiver preparado e pronto nós o traremos para reencontrar-se com você.

– Então vocês podem ir – diz Veludo de novo acenando com a mão direita.

– Obrigado, amigo – diz Daniel. – Vamos, rapazes – diz, apressando o grupo.

Após caminharem um pouco, Daniel é questionado por Lucas.

– Daniel, perdoe-me a pergunta, mas por que Veludo disse que o lugar de Mateus é aqui entre eles?

– Esta é uma longa história, Lucas, que vou lhe contar quando tudo estiver preparado para acontecer.

– O que será que vai acontecer com o Mateus? – diz Lucas.

– Vamos seguir, rapazes – insiste Daniel.

– Vamos sim – diz Lucas.

Assim, Daniel, Lucas e os auxiliares conseguem deixar o lugar sombrio trazendo juntos de si o corpo do jovem Mateus.

*Não se turbe o vosso coração; credes em Deus, crede também em mim.*
*Na casa de meu Pai há muitas moradas; se não fosse assim, eu vo-lo teria dito. Vou preparar-vos lugar.*

*João 14:1 e 2*

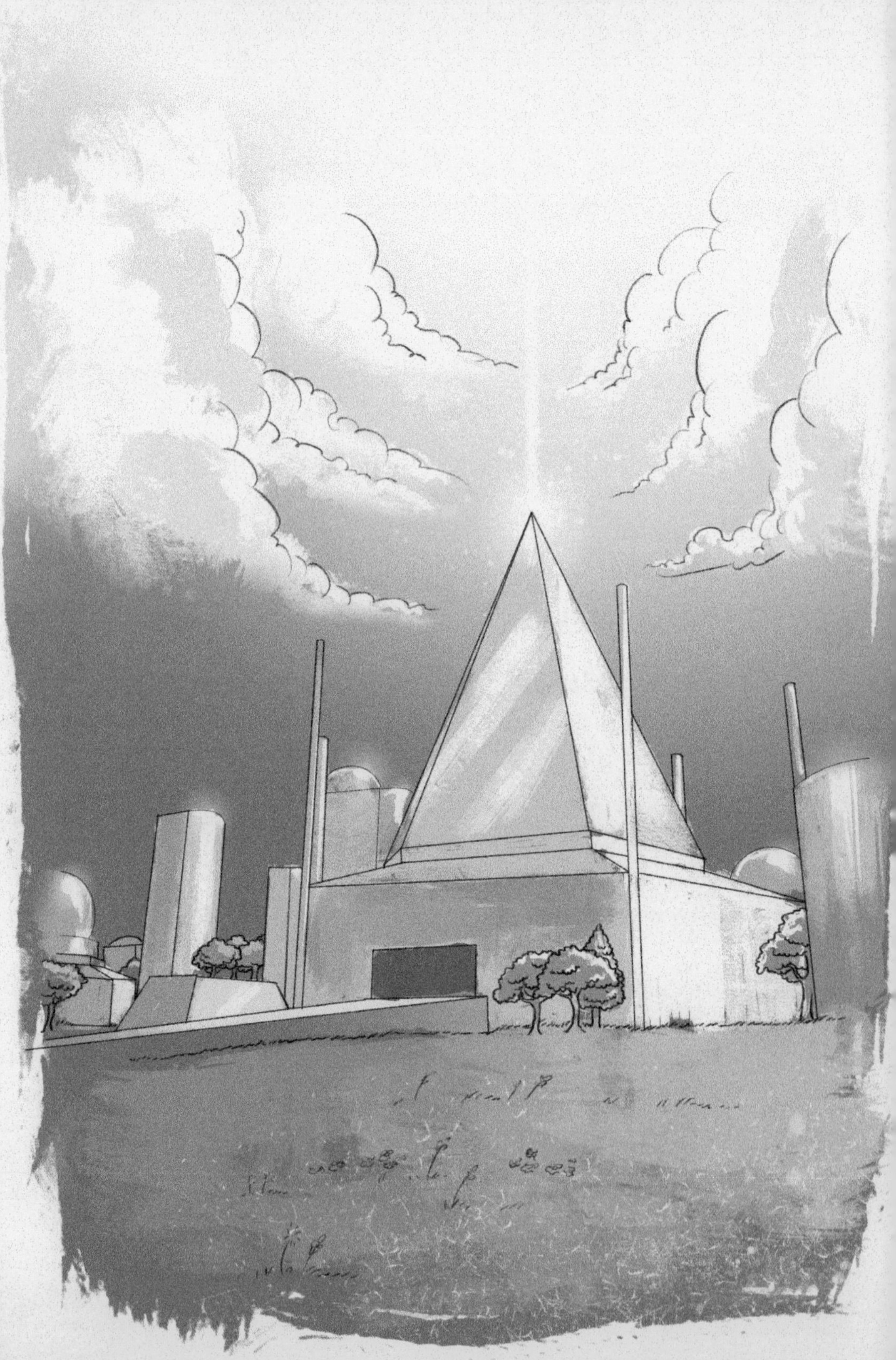

# A Colônia

Existe no mundo espiritual o que chamamos de colônias espirituais. Jesus criou essas colônias e as administra de forma exemplar. Essas colônias existem para que possamos ser atendidos quando desencarnamos. As colônias são administradas por espíritos que alcançaram um alto grau evolutivo, são como hospitais. Pensar que ao sairmos daqui tudo se perde é, sem dúvida, um dos maiores enganos de nós, espíritos encarnados.

Essas colônias são lugares de refazimento e de preparação para as novas encarnações, como é o caso da Colônia Nosso Lar. Existem ainda outras tantas colônias espirituais. Existe praticamente colônia para tudo e para todos. Deus é amor, não nos esqueçamos disso. Não existem surpresas. Tudo está alinhado para que todos nós tenhamos oportunidades infindas para alcançarmos nossa evolução.

Lucas, Daniel, Felipe, Nina e tantos outros são os que mais trabalham na Colônia Amor & Caridade. Ao longo desta história você vai encontrar diversos espíritos amigos que estão trabalhando com um só objetivo: evoluir.

Lucas e Marcos, que trazem o jovem Mateus ainda desacordado em uma maca suja, são recebidos por Nina.

– Venham, tragam-no e o coloquem aqui – diz Nina, mostrando uma cama limpa, que flutua sobre o nada, dentro de uma enfermaria de cor lilás, onde há fluidos sutis que flutuam sobre vários outros pacientes que dormem. Sobre suas testas há uma luz fixa de cor laranja.

– Obrigada – diz Nina.

Nina é auxiliar na enfermaria número quatro, onde pacientes como Mateus são recebidos e tratados, permanecendo o tempo que for necessário para seu restabelecimento. Ela é também a responsável pelas enfermarias infantis da colônia.

– Obrigada, Marcos e Lucas por trazerem o Mateus – diz Nina. – Mas me diga: foi difícil trazê-lo?

– Não foi difícil trazê-lo, complicado foi tirá-lo de lá. Alguns espíritos que se dizem donos do lugar tentaram nos impedir de resgatá-lo, mas Daniel, com toda sua sabedoria, conduziu a negociação de forma que todos ficaram felizes e satisfeitos.

– Que bom, Lucas! Daniel realmente é muito competente nessas questões – diz Nina.

– Mas eu só não entendi por que o Mateus teve que vir para cá. Ele não morreu vítima de câncer. Como todos nós sabemos, nossa colônia é especializada em tratar pacientes que desencarnaram vítimas de câncer

– diz Lucas. – E além do mais, quando estávamos saindo do Umbral um espírito que ficou conversando com Daniel, de nome Veludo, disse que Mateus tem que voltar para lá. Confesso que não entendi nada.

– Existem mais mistérios entre o céu e a Terra do que os grãos de areia que existem no mar – diz Nina.

– É verdade, Nina. E eu achando que já sei tudo – diz Lucas, cabisbaixo.

Daniel surge na entrada da enfermaria.

– Não fique assim, Lucas! Vou lhe contar algumas coisas – diz Daniel, se aproximando.

– Olá, Nina!

– Oi, Daniel!

– Então nos dê o privilégio de ouvir um pouco mais, Daniel – diz Nina.

– Na verdade, os encarnados sabem muito pouco sobre eles mesmos. Em razão disso, muitas das dores que consideram do corpo, na verdade são dores da alma.

– Como assim, Daniel? – pergunta Lucas.

– Podem ter uma dor de estômago de "tanto engolir sapo", ou seja, porque "vão empurrando tudo para dentro", e com certeza, sentem dor. A diarreia pode ser consequência de um estado emocional alterado. Às vezes o ácido úrico elevado tem a ver com a inveja que sentem de alguém. Dor no peito pode ser fruto de angústias que carregam há muito tempo. Dor no corpo pode ser consequência de depressão. Algumas cataratas são provenientes da forma como veem o mundo. Portanto, está mais do que na hora de entenderem que todos são corpo-espírito, e não tão somente o corpo.

– Como assim, Daniel? – insiste Lucas.

– A dor, ou infecção de um órgão, pode ser apenas um efeito. Ou seja, a ciência não pode – pelo menos não poderia – analisar um órgão separadamente. Há dores ou problemas que são reflexos. Reflexos de problemas em outros órgãos, ou, possivelmente reflexos de problemas no espírito. Muitas dores na alma repercutem no corpo físico.

– Entendi, Daniel, mas como o corpo adoece? – insiste Lucas.

– O corpo pode adoecer se permitirem o autoabandono; se se sentirem esmagados pela culpa e pelo remorso; se tiverem diariamente explosões de cólera; se não tiverem bons hábitos mentais; se forem ciumentos e invejosos etc.

– Daniel, o câncer é uma enfermidade cármica? – pergunta Lucas.

– Lucas, doenças graves como o câncer podem surgir por válvulas de escoamento de desajustes perispirtuais, nascidos dos desatinos do passado, observada a lei de causa e efeito, que rege toda a evolução. Representam uma espécie de tratamento de beleza para o espírito.

A Colônia Amor & Caridade é especializada no restabelecimento do perispírito quando a matéria sofre enfermidades causadas pelo câncer. Todos sabem disso. As quimioterapias e as radioterapias aplicadas em pacientes terminais causam lesões no perispírito por serem de materiais radioativos, somadas às questões morais mostradas acima.

Tratamentos alongados causam ferimentos maiores que precisam ser tratados aqui no mundo espiritual. O câncer é um desequilíbrio celular, e a má reprodução dessas células somada à tentativa da ciência em curá-las causa as lesões que são tratadas em nossa colônia.

Após o tratamento de equilíbrio espiritual, feito por meio de passes fluídicos e terapias, e a conscientização da vida eterna, esses espíritos são transferidos para outras colônias. Alguns são encaminhados para a reencarnação em Nosso Lar, outros são convidados a servirem em diversas colônias no mundo espiritual, e outros por afinidade e formação acadêmica, ficam para servir seus semelhantes aqui mesmo. Aqui você vê que nós temos um grande número de médicos e enfermeiros recém-desencarnados servindo em Amor & Caridade.

– Entendi, Daniel – diz Lucas.

– E tem mais: a forma física adquirida por meio das reencarnações é um estado evolutivo. Os espíritos são criados simples e ignorantes, Lucas, vivem experiências minerais, animais e humanas, outras formas a seguir na escala evolutiva. Lesões e perdas de partes do corpo, como amputações, danificam a forma espiritual adquirida por meio da evolução; novas formas ainda estão por vir. Desta forma esses espíritos precisam ser ajustados para continuarem em sua trajetória de evolução. O Mateus, por exemplo, que morreu baleado, sendo alvejado diversas vezes, precisa também de nossos cuidados para conseguir seu equilíbrio, tão necessário à sua nobre missão, que há de seguir. Isso explica o porquê de ter sido criada a Colônia Amor & Caridade e por que espírito como nosso querido irmão Mateus está aqui – diz Daniel.

– Sim, Daniel, e é aqui que quero ficar para sempre – diz Lucas, emocionado.

– Você pode nos falar mais um pouco, Daniel? – diz Marcos.

– Sim, claro! – diz Daniel. – Prestem muita atenção: na hora da morte, a vibração do corpo espiritual é a soma de tudo que você pensou, sentiu e fez durante uma vida inteira encarnada na Terra. Pode-se dizer que cada pessoa que desencarna carrega um campo vital contendo tudo o que ela é como resultado de tudo o que desenvolveu e fez em vida.

– Que lindo, Daniel! – diz Nina.

– E tem mais: a pessoa que tem uma vibração "x" no corpo espiritual, após a morte é atraída para o plano extrafísico de uma dimensão "x", compatível com a vibração que ela porta.

– Mas Daniel, então o que o Mateus está fazendo aqui? – pergunta Lucas.

– Como assim? – pergunta Daniel.

– Já pudemos observar que o Mateus não tem condições espirituais adquiridas para estar entre nós, então o que ele está fazendo aqui?

– Deixe-me lhe explicar mais algumas coisas, Lucas.

– Perdoe-me, Daniel – diz Lucas.

– Posso prosseguir?

– Sim, Daniel, claro que sim – diz Nina.

– Tenham certeza de uma coisa: se ele está aqui é porque é aqui que ele tem que estar. Logo vocês saberão os motivos do resgate de Mateus e o porquê de minhas explicações.

– Perdoe-nos, Daniel – diz Lucas.

– Vamos prosseguir? – diz Daniel.

– Por favor! – diz Lucas.

– O plano espiritual se divide em subdimensões – diz Daniel. – Muitos as dividem em sete níveis, eu as divido em três: plano astral denso; plano astral médio; e plano astral superior.

– Você pode nos explicar melhor? – diz Nina.

– Sim, Nina, vou lhes explicar – diz Daniel.

– No plano astral denso estão as pessoas complicadas, é o chamado Umbral ou Inferno, um lugar bem parecido com o que acabamos de visitar, Lucas.

O plano astral médio é onde se encontram os espíritos mais ou menos complicados. Posso lhes assegurar que lá está a maioria dos espíritos da criação.

E o plano astral superior seria como o Paraíso ou o Éden, como muitos explicam.

– Entendi, Daniel. Entendi perfeitamente, mas você pode nos falar um pouco mais sobre o Umbral? – diz Marcos.

– Sim, claro. A palavra Umbral, na verdade, significa muro; é a divisória entre o plano terrestre e o plano astral mais avançado. Uma divisória vibracional, onde quem tem o corpo espiritual denso não atravessa. É como uma peneira vibracional, entende?

– Sim, Daniel, entendemos – diz Nina.

– É lá que vivem aqueles que não creem na existência de uma divindade que organiza toda a Criação e que, na verdade, é o Senhor de tudo e de todos. É nesse lugar que ficam os aflitos, os suicidas, os enganadores, os falsos, os desonestos; enfim, todos aqueles que, de alguma forma, não evoluíram. É um lugar de muito sofrimento, pois o maior sofrimento experimentado por eles é quando percebem o tempo perdido e se dão conta de que a vida não termina com o desprendimento do corpo físico.

– Podemos dizer que o Inferno e o Paraíso são portáteis: você os carrega dentro de si – diz Nina.

– É isso mesmo, Nina – diz Daniel, que prossegue: – se você estiver bem, o Paraíso está dentro de você. Se você sair do corpo nessa condição, você é atraído por uma vibração semelhante à que existe em seu interior.

– A passagem para o Paraíso está dentro de nós – diz Lucas.

– E o Inferno é a mesma coisa, é um estado íntimo – afirma Daniel.

Daniel continua:

– Veja uma pessoa cheia de autoculpa, e compare com aquela imagem clássica do diabo colocando alguém dentro de uma caldeira, espetando-o. A autoculpa espeta mais do que qualquer diabo, porque nem é preciso o Inferno vir de fora: ele já está dentro e o diabo é você mesmo.

– Nossa, Daniel, e o pior é que é verdade mesmo! – diz Nina.

– O Umbral é uma região muito pesada, porque reflete o estado íntimo de quem lá está – prossegue Daniel. – Vá se habituando, Lucas, pois você será o mentor espiritual de Mateus nas regiões mais turvas da espiritualidade.

– Como assim, Daniel?

– Lucas, o Mateus foi trazido para cá para ser tratado e logo terá suas oportunidades evolutivas trabalhando nas casas espíritas sobre o orbe terreno, e você será o companheiro e instrutor dele em sua íntima evolução moral, o que certamente o elevará para as esferas mais sublimes da espiritualidade.

– Se é esta a minha missão, estou pronto para servir – diz Lucas, emocionado.

– Você se lembra de todos os ensinamentos que lhe dei quando você chegou aqui atordoado ainda de sua última encarnação? – pergunta Daniel.

– Lembro-me perfeitamente – diz Lucas.

– Agora chegou a hora de você usar tudo o que aprendeu entre nós nesse tempo em que está aqui.

– Pode deixar, Daniel, vou procurar não decepcioná-lo – diz Lucas.

– Tenho certeza que você saberá auxiliar o Mateus.

– Procurarei não decepcioná-los – repete Lucas.

– Tudo aqui e no plano físico é feito de oportunidades evolutivas, todos nós temos oportunidades todos os dias. Alguns as aceitam e seguem rumo à evolução, outros ficam presos aos prazeres terrenos e, muitas vezes, sobre as influências de espíritos negativos perdem a oportunidade evolutiva. Mesmo fingindo não ouvir a voz redentora que vem de dentro de todos nós. Mas nós estamos aqui preparados para transformar pedra em ouro – diz Daniel.

– É verdade, Daniel – diz Nina, emocionada.

– Mas Daniel, e se o Lucas, por acaso, não aceitar essa missão? O que acontece? – pergunta Nina.

— Lucas já está preparado para esta missão, Nina. Lembre-se: não existem acasos nas coisas de Deus, e você estará junto dele para auxiliá-lo no quer preciso — diz Daniel, olhando fixamente para Lucas.

— Agradeço-lhe a oportunidade, Daniel — diz Nina.

Lucas assiste a tudo, emocionado e feliz, pelo novo desafio que tem pela frente. Daniel se aproxima de Lucas colocando sua mão direita sobre o ombro do rapaz e lhe pede um pouco mais de atenção.

— Preste atenção, meu rapaz, que tenho algumas informações preciosas para lhe dar.

— Sim, Daniel, pode falar — diz Lucas, atento.

— Quando você descer com Mateus, vai encontrar lugares que lembram abismos; vai ter que ficar em cavernas escuras, tudo exteriorizado no subconsciente dos espíritos, como formas mentais. Propriamente daqueles espíritos que vivem nessa região. Quando você olhar no fundo desses abismos, vai ver que eles estão cheios de espíritos, mas eles não voam, são densos.

Você encontra favelas no plano espiritual, cidades medievais, vilas e muito mais. Os espíritos vivem presos a formas mentais das quais, muitas vezes, é difícil escapar.

— Já vi que permanecerei no Umbral por um bom tempo, não é, Daniel? — diz Lucas.

— Não se trata de permanecer, mas o Umbral será o seu lugar de ajuste daqueles que você e Mateus terão a missão de ajudar.

— Eu entendi — diz Lucas.

— Preciso lhe falar um pouco mais sobre esse lugar — diz Daniel.

— Por favor! — diz Lucas.

Daniel prossegue:

— O Umbral é uma região destinada ao esgotamento de resíduos mentais. É, na verdade, a zona purgatorial, onde se queima a prestações o material deteriorado das ilusões que a criatura adquiriu por atacado, menosprezando o sublime ensejo de uma existência terrena.

Concentra-se lá tudo o que não tem finalidade para a vida superior. Posso citar como exemplo a vingança, o ódio, a inveja, o rancor, a raiva, o orgulho, a soberba, a vaidade, o ciúme etc. O espírito impregnado com esses sentimentos se encontra intoxicado e precisa ajustar-se para seu equilíbrio.

Todos os espíritos se atraem por afinidades e semelhanças. Isto acontece na Terra e no mundo espiritual. Desta forma todos os espíritos com sede de vingança e ódio acabam se atraindo para localizações comuns do outro lado da vida. E, juntas, as forças mentais desses espíritos acabam construindo todo o ambiente. Fica fácil perceber que um local repleto de desequilíbrio emocional, onde todos os presentes estão unidos pelo mesmo pensamento, não é um local bonito e agradável.

Desta forma, o Umbral nada mais é do que o reflexo dos pensamentos, desejos e vontades de inúmeros espíritos semelhantes nos sentimentos negativos que acabei de listar acima.

Estes sentimentos intoxicam a alma e dificultam ou impedem que esses espíritos recebam ajuda de parentes, amigos e até mesmo de nós, espíritos superiores.

Na Terra só é possível ajudar encarnados que querem receber ajuda e que aceitam essa ajuda de uma forma sincera, e também que estão dispostos a se transformarem.

Para ser ajudado você precisa, primeiramente, reconhecer seu erro. Aqui no mundo espiritual é a mesma coisa, sabemos disso. Se você sofre, por exemplo, dentro de si com o sentimento de vingança, só pode ser curado deste sofrimento se conseguir perceber que precisa de ajuda. Somente nesta situação é que nós conseguiremos ajudar algum espírito a sair do Umbral.

O Mateus teve sua última encarnação complicada. Logo lhes mostrarei por que ele foi assassinado de forma tão cruel e quais as oportunidades que terá pela frente. Lembre-se de que o amor é capaz de romper barreiras intransponíveis ao pensamento humano, e é pelo amor e compreensão que Mateus conseguirá superar os mais densos e terríveis sentimentos que os levaram para o Umbral. E vocês, Lucas e Nina, terão a oportunidade de auxiliarem esse nobre irmão que recebe hoje uma grande oportunidade evolutiva.

– Somos gratos, Daniel, pela oportunidade – diz Nina.

– Só tenho a agradecer, Daniel – diz Lucas.

– Agora terminem suas tarefas e sigam para o meu gabinete para eu lhes mostrar a vida anterior de Mateus.

– Sim, Daniel. Vou só terminar de fluidificar o ambiente e sigo com o Lucas para sua sala – diz Nina.

– Obrigado, Nina – diz Daniel se retirando.

Nina e Lucas estendem suas mãos sobre o corpo de Mateus, que já começa a tomar uma cor melhor. Suas roupas foram trocadas pelos auxiliares de Nina e ele dorme um sono profundo. O sono da recuperação.

*A prece, qualquer que ela seja, é ação provocando a reação que lhe corresponde. Conforme a sua natureza, paira na região em que foi emitida ou eleva-se mais, ou menos, recebendo a resposta imediata ou remota, segundo as finalidades a que se destina. (...)*

*André Luiz*

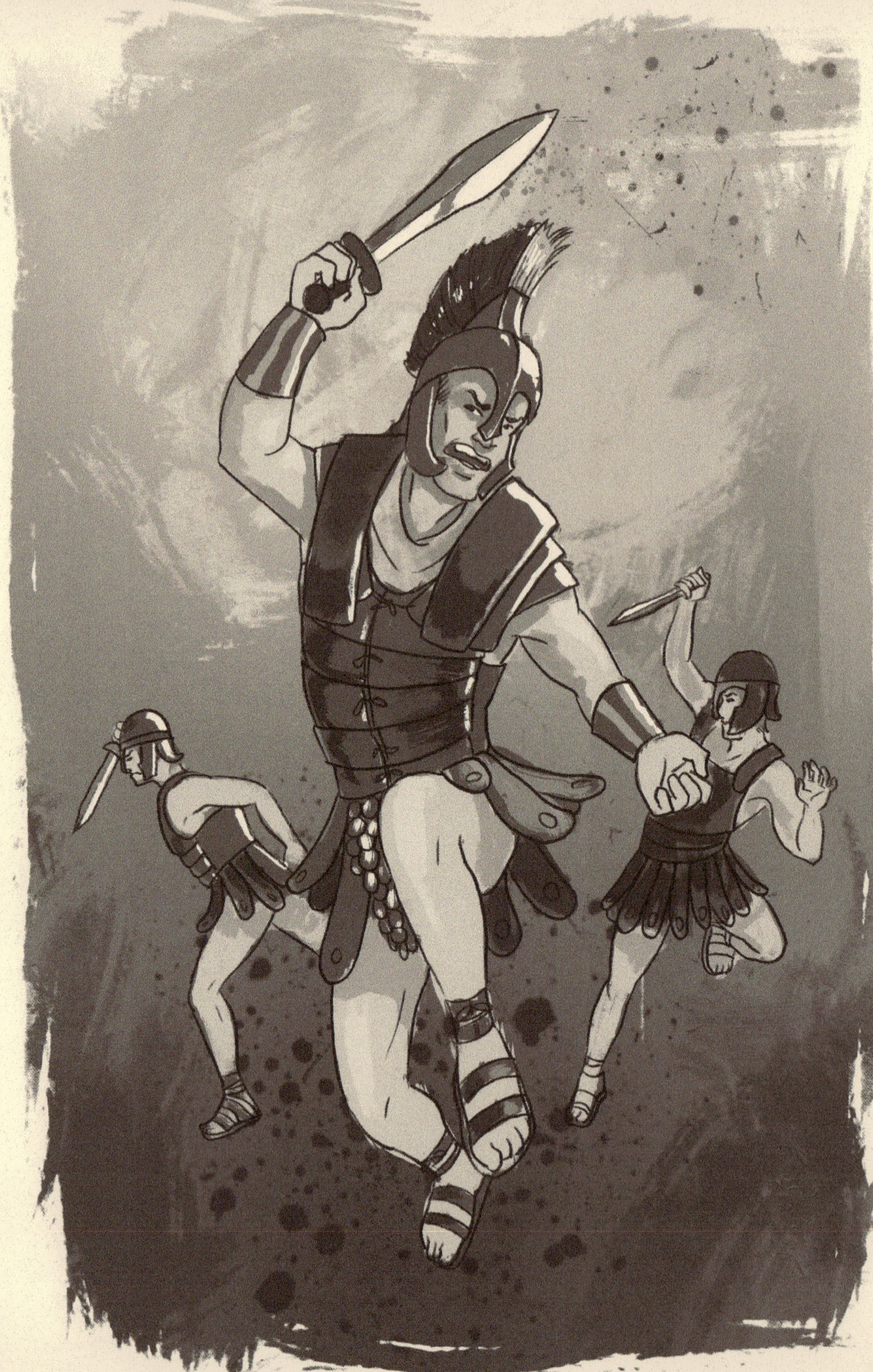

# Outras vidas

Nina e Lucas chegam à sala de Daniel. O ambiente é de paz e serenidade; a sala é imensa, com algumas cadeiras confortáveis espalhadas pelo espaço muito bem decorado. A mesa de Daniel é branca, e à sua frente estão dispostas três cadeiras de mesma cor. Atrás de sua mesa há uma espécie de tela de cinema fluídica, feita exclusivamente para passar as histórias que são mostradas aos espíritos missionários quando eles vêm à Terra. Ali, são discutidas as estratégias montadas para a evolução daqueles envolvidos diretamente na missão. Daniel é o presidente da Colônia Espiritual Amor & Caridade.

– Entrem, sentem-se! – diz Daniel.

– Obrigada, Daniel – diz Nina ajeitando-se na cadeira macia.

– Daniel, estou curioso para saber um pouco mais sobre Mateus – diz Lucas.

– Vamos direto ao assunto para não perdermos muito tempo – diz Daniel.

Lucas senta-se ao lado de Nina, que está atenta a tudo à sua volta.

As luzes do ambiente diminuem sem mesmo nenhum comando.

– Prestem atenção – diz Daniel.

O filme começa a passar na enorme tela atrás de Daniel, que se levanta e senta-se ao lado de Nina e Lucas.

Parece a época antes da chegada de Jesus, há mais de 2 mil anos... Vários trabalhadores estão cavando em um barranco... São escravos romanos, usam togas brancas e estão tirando pedras de uma montanha.

O local é árido, com muitas rochas amareladas de onde são tirados os blocos de um tipo de pedra porosa, que mais se parece com granito. Nina aproxima-se da tela para observar melhor a insinuada cena que lhe é apresentada.

Um soldado romano está encostado em uma rocha grande, em sua mão direita ele segura uma lança; na sua cintura há uma espada. Mateus é um soldado romano, um dos guardas que vigiam os escravos.

Mateus tem aproximadamente vinte e cinco anos. Ele usa uma roupa com ombreiras e um saiote de couro com um pano vermelho por baixo. Outros guardas usam uma espécie de capacete de ferro, e outros usam capacetes altos, de bronze, com uma crina de cavalo em cima, de cor vermelha. Nas redondezas há cavalos amarrados em piquetes, colocados exclusivamente para esse fim.

Mateus está vigiando os escravos que trabalham naquele lugar. Eles são bem tratados, desde que trabalhem; são todos homens e brancos. No peito de Mateus é possível ver uma mágoa, porque ele não gosta de ver aquelas pessoas ali. Aquilo tudo dá a ele uma enorme tristeza. E ele não pode fazer nada, aqueles homens foram presos por bobagens, a mando do imperador César Augusto. Pode-se ver nitidamente a contrariedade de Mateus exercendo aquela função ali, e sem poder fazer nada para mudar aquilo.

– Nossa, quanta mágoa no peito! – diz Nina apontando para a imagem de Mateus.

– Olhem e prestem muita atenção aos fatos que lhes serão mostrados nesta história – adverte Daniel.

– Sim, Daniel – diz Nina.

O trabalho daqueles escravos era realizado em uma das muitas minas de mármore que abasteciam o Império Romano naquela época. Governantes foram proscritos e numerosas propriedades, confiscadas no seu apogeu; e muitos desses presos políticos foram enviados para realizarem trabalhos forçados. No peito de Mateus pode se ver nitidamente uma dor, uma tristeza inexplicável para os olhos de Nina e Lucas que permanecem atentos ao desenrolar dos fatos.

– Olhem as ordens que chegaram agora para os soldados – diz Daniel.

Diz o comandante do pelotão aproximando-se do grupo:

"Atenção, soldados! O Imperador declara todos os prisioneiros traidores e ordena executá-los imediatamente."

Logo que a ordem é lida, os soldados se posicionam para executarem-na imediatamente. Muito contrariado, Mateus cumpre as ordens determinadas por seus superiores. Ele sabe que aquilo não é verdade, mas todos tinham que cumpri-las; essa era a sua obrigação. Mateus pega sua espada, e junto com mais dezesseis soldados, cumpre a ordem determinada.

Os corpos ficam caídos no chão, ensanguentados e dilacerados pelos golpes certeiros das afiadas espadas romanas.

Mateus se sente muito mal, triste consigo mesmo e com ódio do Imperador. Se pudesse, ele deixaria de ser guarda, mas não podia senão seria considerado desertor, então decide ficar ali, olhando para aqueles corpos em pedaços. Dentro de seu peito Nina e Lucas podem ver nitidamente a dor aumentar. Seu espírito está sofrendo.

– Que drama, hein, Daniel?! – diz Nina.

– Sim, Nina – diz Daniel –, fiquem atentos que agora os tempos serão outros.

O filme continua, e mais alguns anos se passam.

Uma batalha está acontecendo, e Mateus é um exemplar soldado que cumpre suas ordens, embora muito contrariado. O combate é contra outro povo e alguns camponeses.

Nina pode observar a contrariedade no peito de Mateus, que serve ao Império Romano muito contra a sua vontade. Isso é nítido em seu espírito; tão nítido, que se pode ver uma enorme mancha negra no peito do jovem soldado.

– Daniel, o que é essa mancha escura no peito de Mateus? – pergunta Lucas.

– Lucas, quando praticamos o mal, ele se instala em nosso ser. Veja como o perispírito de Mateus está turvo como se tivesse sobre sua cabeça uma nuvem negra, carregada e pronta para despejar uma enorme chuva sobre ele.

– É verdade – diz Nina. – Parece que ele está muito mal.

– É assim que o espírito se apresenta para nós quando está carregado de coisas negativas; quando está tomado de sentimentos e desejos que contrariam as vontades de Deus.

– É assim que criamos os carmas, Daniel? – pergunta Lucas.

– Sim, Lucas. Mas carma não é a palavra apropriada para esse caso. Na realidade, as escolhas, quando malfeitas, resultam em consequências que todos terão que ajustar para seguirem para a perfeição.

– Causa e efeito? – pergunta Nina.

– Sim, Nina, causa e efeito. São assim as coisas de Deus – diz Daniel, serenamente.

– Pode me explicar melhor, Daniel?

– Claro, Lucas! Deus criou todas as coisas e todos os espíritos simples e ignorantes. Quando Ele fez isso, fez para que todos tenham oportunidades iguais, pois se quisesse, poderia ter criado todos os espíritos perfeitos, mas Ele não quis, e quem somos nós para questionarmos as coisas que Ele faz? A existência é um processo evolutivo, não pense que você vai contar anos de vida, porque isso não importa para Deus. Ele criou você eterno, então o tempo de sua existência pouco importa. O que importa para Ele é o estado em que você se encontra neste momento; e sendo assim, quantas oportunidades você ainda vai precisar para se tornar perfeito? Isso também não importa para Ele. Lembre-se: você é eterno e tem a eternidade para tornar-se perfeito. E isso sim, é o que importa para Ele.

– Nossa, Daniel, que ensinamento! – diz Lucas.

– E tem mais: a humanidade caminha para o conhecimento desta lei, isso nós já sabemos. Em breve todos saberão que a vida é eterna e que o seu maior investimento tem que ser feito na sua próxima vida. Essa que você vive agora lhe serve para poupar coisas boas para que possa usar em sua próxima existência.

– Isso nós já aprendemos aqui, Daniel – diz Nina.

– Sim, minha querida Nina. Todos nós que estamos aqui nesta colônia, envolvidos diretamente com a evolução de alguns espíritos encarnados e desencarnados, temos a consciência de que é assim; que Ele deseja que nos comportemos, e é assim que iremos conquistar nossa evolução. Sei que muitos que leram essa obra farão uma reflexão profunda sobre esse ensinamento e descobrirão o quanto Deus é perfeito e o quanto ama Seus filhos. Não importa para Deus a forma como você busca sua evolução, o que importa é que você demonstre que o mais importante para você é saber que Ele está feliz com suas atitudes diante de tantas criaturas que estão em sofrimento. Isso é o que Ele quer de todos os espíritos que criou. E tem mais:

– Diga, Daniel – insiste Nina.

– Há de chegar o tempo em que todos os encarnados terão que decidir qual o caminho a seguir: o caminho do verdadeiro cristão, ou o exílio para outro planeta, onde todos aqueles que não se ajustaram terão uma nova oportunidade evolutiva.

– Que bom, Daniel! Sabemos quão grande é o amor que Ele tem por seus filhos – diz Nina.

– Isso mesmo, Nina, Deus é amor, paixão, misericórdia e oportunidade – diz Daniel.

– Compreendeu, Lucas? – pergunta Daniel.

– Perfeitamente, Daniel. Obrigado por suas explicações.

– Agora vamos continuar a ver a história de Mateus?

– Sim, vamos – diz Nina.

– Vamos – diz Lucas.

O filme volta a passar na tela posicionada à frente dos iluminados.

O combate se inicia e Mateus fica confuso e cai de seu cavalo. Nesse exato momento um combatente vem em sua direção e crava uma espada no seu peito, sem dar nenhuma chance de defesa para o nobre combatente. Mateus morre ali mesmo, estático de costas no chão, junto a vários outros homens. O sangue fica preso na roupa grossa, e seu corpo frio fica caído ao chão.

Mateus entra imediatamente em sono profundo.

Após algum tempo ele acorda no mundo das trevas. Seu corpo dói, suas pernas estão fracas e ele mal consegue ficar de pé.

Com muita dificuldade ele pega um pedaço de madeira que está próximo e caminha em direção a uma pequena fogueira onde alguns espíritos estão sentados se aquecendo. Lentamente ele se aproxima e é recebido por um espírito de nome Rosendo, que a princípio o ignora e se afasta dele imediatamente após sua chegada.

Mateus senta-se próximo ao fogo e ajeita sua farda de soldado pensando que pode ter ainda alguma influência sobre os espíritos, impondo-se como um soldado romano.

Seus pensamentos vagam pela vida anterior, ele percebe que está morto e que se encontra em outra dimensão. Mateus se sente muito triste por não ter aproveitado melhor aquela vivência; agora com a consciência da eternidade, ele começa a chorar arrependido de tudo o que fez.

Mateus se arrepende das mortes provocadas por sua espada e clama aos superiores por oportunidades evolutivas.

– Deus, me perdoe! – diz o jovem arrependido chorando.

Rosendo observa tudo de longe. Calado, ele observa o sofrimento de Mateus.

Forte névoa toma conta do lugar, e Mateus se deita e entra em sono profundo.

Lucas interrompe a filmagem.

– Daniel, afinal quem foi que intercedeu por Mateus? Quem foi que nos permitiu ir resgatá-lo e trazê-lo para a recuperação e dar-lhe a oportunidade evolutiva? – pergunta Lucas.

– Isso vamos ver no próximo filme, ou melhor, na última encanação dele – diz Daniel.

– Podemos ver isso agora? – pergunta Nina.

– Sim, mantenham-se sentados e vamos assistir a mais uma vida de Mateus – diz Daniel, ajeitando-se na luxuosa cadeira.

O ambiente é sereno e muito bonito, há janelas que vão do teto ao chão. Do gabinete de Daniel pode-se ver toda a colônia. Cortinas de renda branca estão colocadas estrategicamente nas lindas janelas. Há vasos de plantas muito diferentes dessas que estamos acostumados a ver por aqui. São flores lindas que perfumam o ambiente.

Nina se vira para Daniel e lhe pergunta:

– Quantas foram as vidas que ele teve, antes de estar conosco, Daniel?

– Foram vinte e oito encarnações, Nina – diz Daniel.

– Poucas oportunidades, não acha?

– Sim, Nina. O problema de Mateus é que ninguém orou ou pediu por sua pobre alma. Assim ele teve que seguir o processo natural da evolução de todos.

– O que poderia ter sido feito para auxiliá-lo, Daniel? – pergunta Lucas.

– Lucas, meu querido, a prece, a oração e o pensamento positivo aceleram a evolução dos desencarnados. Sabemos que a prece proferida com sinceridade atinge lugares inimagináveis. Assim, só a oração e o amor podem transcender as esferas mais sublimes da espiritualidade.

– Lindo, Daniel! – diz Nina.

– Obrigado, Nina.

– Podemos assistir ao restante agora?

– Sim, vamos lá – diz Daniel.

Novamente as luzes ficam mais fracas e começa uma nova vida de Mateus.

*A vida é uma escola, aprendemos ou não,
isso só depende de nós.*

*Osmar Barbosa*

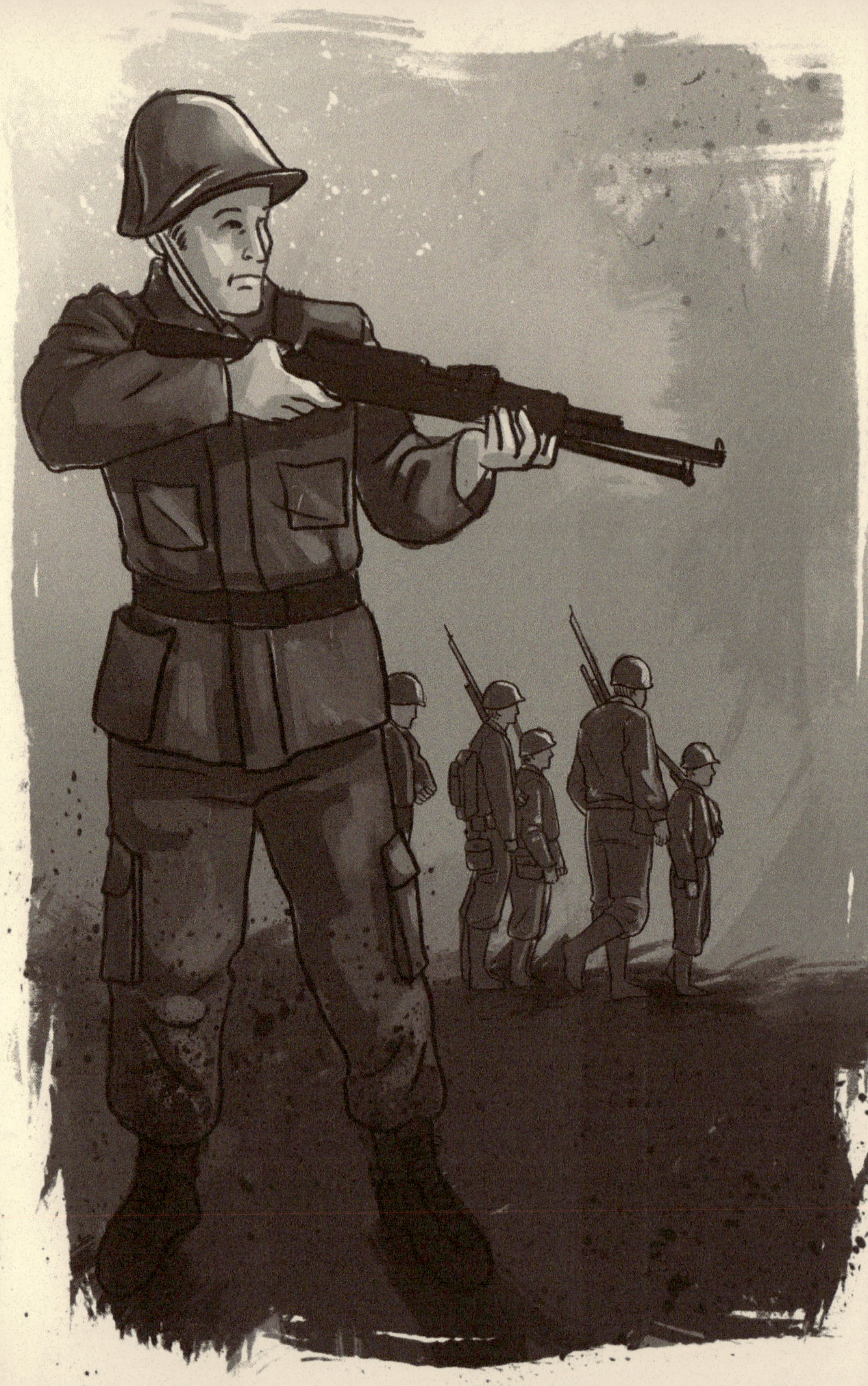

*A vida anterior de Mateus começa a ser mostrada.*

Julho, 1914.

– Venha, soldado, venha por aqui! – diz o sargento Nicolas.

– Estou indo, senhor – responde Mateus, segurando sua carabina.

– Olhem, há algumas pessoas naquela casa, na porta daquela fazenda.

– Vamos nos aproximar – diz Nicolas.

Mateus e mais três outros soldados se aproximam da família que apressadamente arruma suas malas em uma pequena carroça: Lola e mais dois meninos, Rolf e Hans, ainda menores de idade. Alta, de cabelos negros e pele dourada, Lola é uma mulher de extrema beleza. Olhos verdes e corpo sensual, usa um vestido verde-claro, que lhe cobre todo o corpo delineado pelas curvas. Mãos suaves e dentes brancos, sorriso sensual e lábios carnudos.

Rapidamente Nicolas e seus subordinados se aproximam.

– Esperem aí! Onde é que vocês pensam que vão? – diz Nicolas apontando sua arma para Lola.

– Só estamos fugindo da guerra, senhor – diz Lola.

– O que vocês estão carregando nessa carroça?

– Roupas e comida, senhor – diz Lola aproximando-se das crianças e abraçando-as.

Nicolas fica impressionado com a beleza de Lola e se aproxima da mulher.

– Onde está seu marido? – pergunta o soldado.

– Ele foi assassinado pelos alemães, senhor – diz Lola.

– Mas você é uma mulher muito encantadora – diz Nicolas, acariciando a face da jovem mulher.

– Tire suas mãos de mim, seu verme – diz Lola, dando um tapa no braço de Nicolas, que reage imediatamente dando um soco no rosto da pobre mulher.

Lola cai ao chão agarrada aos meninos, que nada podem fazer.

Os meninos aparentam ter oito a nove anos de idade.

Todos ficam desesperados com a atitude do comandante do pequeno grupo.

– Senhor, por que fez isso com a mulher? – pergunta Mateus.

– Não se meta, soldado! Estamos em uma guerra.

– Mas isso não justifica você ter batido nessa pobre mulher.

– Cale a boca, seu idiota! – diz Nicolas, revoltado.

– Levante, sua besta – ordena o rapaz, gritando com Lola.

– Limpando o sangue da boca, Lola se levanta auxiliada pelos meninos.

– Você não viu que sou um sargento, e que quem manda aqui sou eu, sua vadia?

– Não obedeço a homens como você, seu covarde – diz Lola ainda limpando o sangue que escorre de seus lábios.

Mateus se aproxima e se põe entre Lola e Nicolas.

Lola continua:

– É por causa de pessoas como você que essa maldita guerra está acontecendo, você deveria ter vergonha de agir desta forma com uma mulher indefesa como eu – diz Lola.

– Ah, agora você quer me dar lição de moral, sua vagabunda? – diz o nervoso soldado.

Outro soco é dado em Lola por Nicolas.

Sem pensar muito, Mateus empunha sua arma e aponta para o sargento, que comanda o grupo de soldados.

– Que é isso, soldado? Você ficou maluco, apontando a arma para o sargento? – diz outro soldado do grupo.

– Afaste-se dela – ordena Mateus.

– O comandante aqui sou eu, seu idiota! Não está vendo que você está fazendo uma tremenda bobagem, soldado? – diz Nicolas.

Um tiro certeiro derruba ao chão o sargento Nicolas, os demais soldados se aprontam para reagir; Mateus não dá nenhuma chance a seus companheiros e mata imediatamente todo o grupo.

Todos estão muito assustados. O próprio Mateus está surpreso com sua reação perante aquela situação. Sua carne treme, afinal nunca tinha matado ninguém, mas o estresse de ver tanta covardia resultou no ato impensado do soldado.

Mateus joga sua carabina para longe, coloca as mãos no rosto e começa a chorar. Lola se aproxima e abraça o rapaz tentando consolá-lo.

– Tenha calma – diz Lola.

– Não sei o que aconteceu comigo, senhora. Nunca matei ninguém.

– Mantenha a calma, você agiu certo. Esse sargento, na verdade, queria era abusar de mim. Fique calmo, venha sente-se aqui – diz Lola puxando Mateus e sentando-se em um banco próximo colocando sua cabeça em seu ombro.

Mateus chora compulsivamente.

– Não chore. Quantos anos você tem?

– Vinte e quatro anos, senhora – diz Mateus se acalmando.

– Somos quase da mesma idade – diz Lola.

– Quantos anos você tem? – pergunta Mateus.

– Vinte e cinco – diz Lola.

– E já tem dois filhos?

– Não são meus filhos, são meus sobrinhos; eles são os filhos de minha irmã Joana.

– Onde está sua família? – pergunta Mateus.

– Estou indo encontrá-la, estamos escondidos em uma pequena cabana que meu pai construiu no meio da plantação. Sabíamos que isso poderia acontecer, daí meu pai construiu uma pequena cabana escondida dentro da mata.

– Meu Deus, o que fiz da minha vida! – diz Mateus levando as mãos ao rosto suado.

– Você só fez a coisa certa, esse verme ia acabar me matando – diz Lola.

– Eu nem o conheço bem. Só não consegui me controlar vendo tamanha injustiça. Fomos apresentados na semana passada. Sou novo nesta maldita guerra – diz Mateus agora mais calmo.

– Isso mostra que você é um grande homem – diz Lola.

– Sim, mas agora não posso mais voltar para o acampamento sem o sargento e os soldados.

– Não volte, venha comigo, vamos nos esconder e esperar a guerra acabar.

– Não sei se isso é certo – diz Mateus.

– Qual a saída que você tem? Afinal, você agora é um assassino – diz Lola.

– É, sou um assassino de compatriotas.

– Você fez a coisa certa e é isso que importa; agora vamos, não podemos ficar aqui, logo outros soldados virão.

Mateus se levanta e ajuda Lola a colocar as coisas na carroça.

– Mas você disse que seu marido morreu, que foi assassinado pelos soldados – diz Mateus parando de colocar as coisas na carroça.

– Ainda não encontrei o homem da minha vida.

– Como assim?

– Nunca me casei, sou solteira e feliz. Agora vamos, Mateus, antes que alguém apareça por causa do barulho dos tiros.

– Tem razão. Vamos.

Assim eles seguem para o acampamento escondido no meio da mata.

*Amor tudo sofre, tudo crê, tudo espera, tudo suporta,
o amor jamais acaba.*

*Apóstolo Paulo*

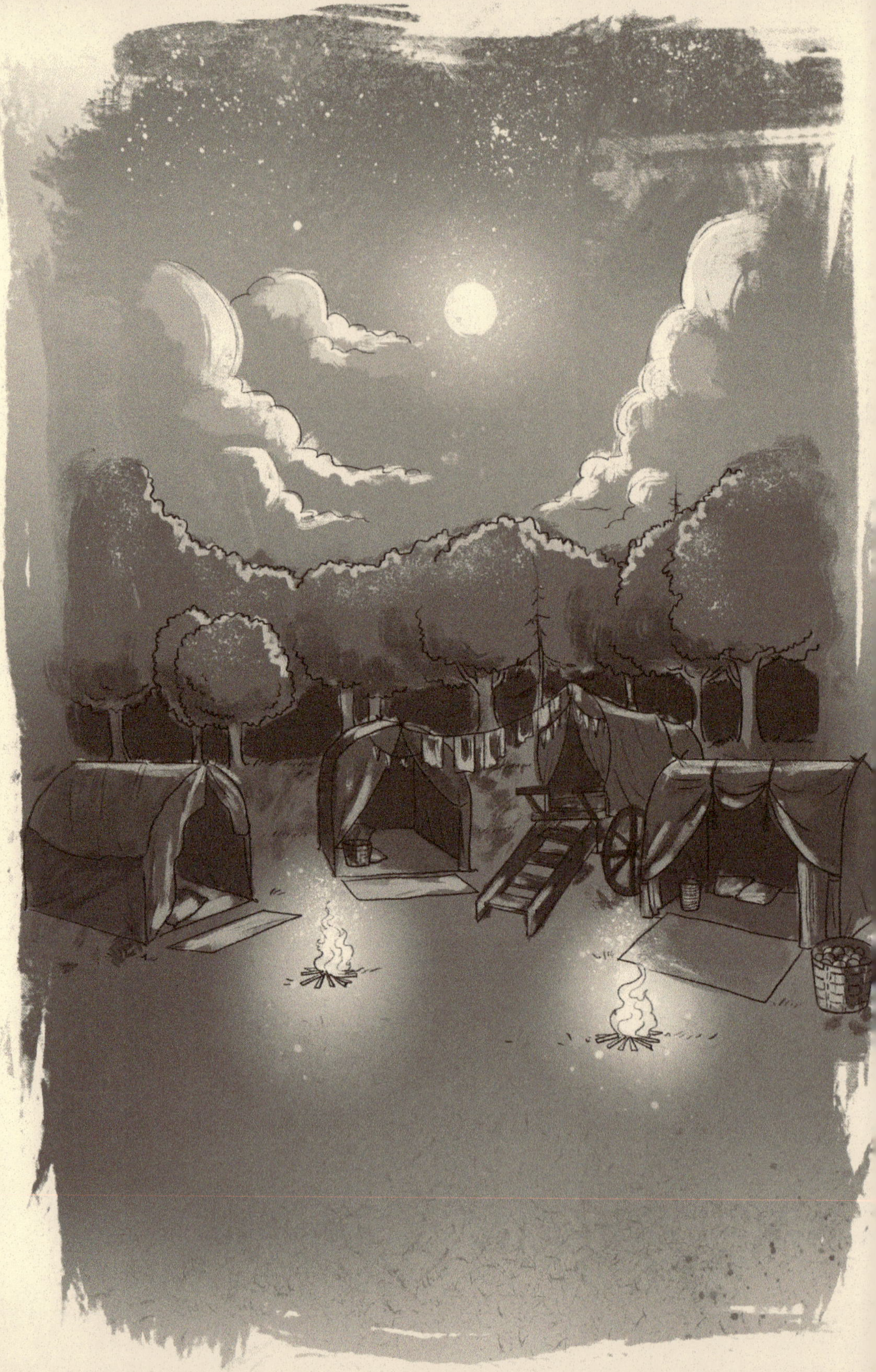

## Vida pregressa

– Daniel, perdoe-me, mas por que este encontro? Por que mais essa tragédia na vida de Mateus? – pergunta Nina.

– Vamos agora conhecer o porquê de Lola estar na vida de Mateus.

– Você com suas surpresas, Daniel! – diz Lucas.

– Fiquem atentos.

As luzes se apagam na sala e Lola está sentada na carroça que é conduzida por Mateus.

– Onde você nasceu? – pergunta Lola.

– Nasci na França, e você?

– Também nasci na Europa – diz Lola.

– Por que você vive aqui?

– Somos ciganos, vivemos de acordo com o vento – diz Lola, sorrindo.

– Mas então o que você estava fazendo naquela fazenda?

– Aquela fazenda é de minha irmã e do meu cunhado, eles a herdaram de seus ancestrais. Fui até lá para pegar algumas coisas para levar para nosso acampamento.

– Mas você não vive aqui?

– Não, como já disse, sou cigana e vivo pelo mundo a dançar e me divertir. Sabe, a vida não vale nada quando estamos presos a coisas materiais – diz Lola.

– Não consigo imaginar-me assim, sempre lutei por meus ideais, se bem que eu não queria estar nesta guerra, mas fui obrigado pelo meu país.

– Compreendo, as coisas são assim mesmo – diz Lola.

– Vamos seguir em frente? – pergunta Mateus.

– Não, na próxima curva há uma pequena estrada à direita; entre nela, por favor.

– Pode deixar.

Após algumas horas Lola, Mateus e as crianças chegam a um grande acampamento cigano e são recebidos por outras crianças que correm em direção à carroça.

– Pulem, meninos! Vão brincar com seus amiguinhos – diz Lola.

Os dois meninos que acompanham Lola pulam saltitantes da carroça e começam a correr com os amigos, que aparentam ter a mesma idade.

Mateus fica assustado ao ver o grande acampamento cigano à sua frente.

– Mas Lola, você me disse que seu pai tinha construído uma pequena cabana escondida na mata... Mas não é isso que vejo.

– Perdoe-me, Mateus, mas eu não tinha certeza que você me acompanharia, daí eu não poderia lhe contar a verdade. Sabe como é, não posso colocar toda a minha família em risco.

– Compreendo. Quer dizer que todas essas pessoas são seus familiares?

– Sim, somos uma geração inteira de ciganos.

– E de onde se originou sua família?

– Da Capadócia – diz Lola.

– É, vocês estão longe de casa! – diz Mateus.

– Nossa casa é a vida, o vento, a alegria e as carroças – diz Lola.

– Perdoe-me, mas vou demorar um pouco para compreender tudo isso.

– Venha, Lola – diz Fausto, aproximando-se e segurando os arreios dos cavalos que puxam a carroça.

– Seja bem-vindo, amigo! – diz Fausto dirigindo-se a Mateus.

– Obrigado, amigo – diz Mateus.

Lola pula da carroça, ainda em movimento, e corre para abraçar um velho cigano que está de pé à espera da jovem sedutora.

Mateus observa tudo calado.

– Venha, rapaz, aproxime-se – diz o velho cigano.

– Boas-tardes, senhor!

– Seja bem-vindo, rapaz!

– Obrigado, senhor.

– Venha até minha barraca, precisamos conversar – diz o sábio cigano.

– Venha – diz Lola, segurando a mão direita de Mateus e puxando-o a correr.

No centro do acampamento há uma enorme barraca onde o líder da tribo despacha com os demais ciganos durante todo o dia. Há uma enorme mandala feita de tecido fino, colocada à frente de uma pequena mesa, também redonda, cheia de pedras semipreciosas onde o líder da tribo atende os amigos. Ao lado há um copo com água cristalina cheio de pedras coloridas. Mirra é queimada em um incensário colocado em um pequeno móvel atrás do lugar onde todos se sentam.

– Sente-se, meu rapaz – convida o cigano.

– Qual seu nome?

– Meu nome é Mateus, senhor.

– Muito bem, meu jovem. Foi você quem salvou a vida de minha filha?

– Sim, mas como sabe disso?

– Tenho algumas coisas a lhe contar... Sente-se, rapaz – convida o cigano.

Mateus está assustado e ao mesmo tempo encantado com a beleza do lugar e das pessoas. Lola senta-se ao lado dele tentando acalmá-lo.

Tomando Mateus pelas mãos, Lola olha carinhosamente em seus olhos e lhe faz uma revelação:

– Nós já nos conhecemos de outras vidas – diz Lola, olhando fixamente dentro dos olhos do rapaz.

– Como assim? – pergunta Mateus, assustado.

– Eu vou lhe explicar – diz o velho cigano, oferecendo-lhe uma bebida em uma taça de cor laranja.

– Pode beber – diz Lola.

Delicadamente Mateus bebe o saboroso licor feito pelos ciganos.

– Bom isso, o que é?

– Licor de amêndoas, feito pelas ciganas daqui – diz Lola.

– E você não faz? – pergunta Mateus.

– Sim, eu ajudo as outras ciganas a fazer.

– Muito bom! – diz Mateus.

– Agora, que você está mais relaxado, preciso lhe contar umas coisas – diz o cigano.

– Perdoe-me, senhor, mas qual é o seu nome?

– Me chamo Pablo. Desculpe não ter me apresentado antes, é que estávamos ansiosos com sua aparição.

– Como assim, ansiosos?

– Somos ciganos. E nós, ciganos, temos contato direto com nossos ancestrais e eles nos avisaram que você viria.

– Como assim? – pergunta Mateus, assustado.

– Isso é coisa dos antigos ciganos – diz Lola.

– Vocês estavam me esperando... É isso?

– Sim, nós já sabíamos que você se encontraria com Lola nesta encarnação e que seria em uma situação de perigo.

– Perdoem-me, mas não acredito nisso – diz Mateus, ainda mais assustado.

– Fique tranquilo, que com o tempo você vai perceber que tenho razão quando lhe revelo isso – diz Pablo.

– Pode até ser, vamos ver – diz Mateus.

– Agora, vá com Lola conhecer o restante da tribo e mais tarde poderemos conversar sobre seu futuro.

– Agradeço a acolhida, mas ainda não decidi se ficarei com vocês ou se sigo meu caminho, afinal estamos em guerra.

– Essa guerra não é sua. Ouça o que tenho a lhe dizer – diz Pablo.

– Realmente, eu não queria vir para esta guerra, mas fui obrigado pelo meu país.

– Fique tranquilo! Lola, leve nosso amigo para conhecer os outros ciganos e aproveite, troque suas roupas. Afinal, esta farda não condiz com o espírito que está dentro deste corpo.

Sem entender muito bem o que Pablo havia lhe falado, Mateus se levanta e segue com Lola para conhecer o restante da tribo de ciganos. Lola lhe arruma roupas limpas e perfumadas.

Mateus se sente entre familiares, algo em seu coração lhe transmite paz e serenidade. Começa a nascer dentro de si uma paixão intensa por Lola.

O lugar é lindo, as águas do riacho são cristalinas, as crianças ciganas brincam a banhar-se divertidamente.

Tudo está em paz.

– Daniel, será que você pode interromper o filme, por favor? – pede Nina.

– Sim, Nina, claro que sim! – diz Daniel, solícito.

– O que houve, Nina? – pergunta Lucas.

– Não me sinto bem.

– Como assim, não se sente bem?! Eu nunca vi um espírito passar mal – diz Lucas.

– Deixe-a, Lucas!

– Perdoe-me, Daniel, mas preciso ficar um pouco a sós.

– Sem problemas, Nina. Quando vocês quiserem, poderemos continuar.

– Obrigada, Daniel.

Nina se levanta e sai da sala deixando Lucas assustado.

– Vá, Lucas, faça companhia a Nina.

– Sim, Daniel.

Lucas sai da sala e põe-se a caminhar pela colônia ao lado de Nina, que permanece calada. Lucas estranha a atitude de Nina que não quer conversa, apenas deseja ficar a sós.

– Nina, está tudo bem?

– Sim, Lucas. Eu apenas senti um mal-estar incompreensível para mim.

– Eu também senti algo estranho em meu ser, mas não dei importância. Por que será que sentimos isso?

– Não faço a mínima ideia – diz Nina, ainda assustada.

– Olhe, Nina, quem vem vindo.

– Sim, é o Marques. Olá, Marques!

– Oi, Nina, como vai?

– Estamos bem, e você?

– Estou ótimo! Como sempre, feliz e realizado com a trabalheira que me deram aqui nesta colônia.

Risos.

– Vocês estavam com Daniel, não é?

– Sim, estamos vendo as vidas do Mateus.

– Percebi – diz Marques.

– Querido Marques, você, como secretário de Daniel, poderia nos responder a uma pergunta?

– Claro, Lucas! Se for de meu conhecimento, com certeza desejo ser útil.

– Lucas, não incomode o Marques com essa questão – diz Nina.

– Que isso, Nina? Estou aqui para ajudar no que me for possível. Diga, Lucas, o que houve?

– Sabe o que é, Marques? Estávamos vendo as vidas do Mateus e de repente começamos a passar mal. Tenho até vergonha de dizer isso, pois como sabemos, não temos mais o corpo físico, e essas sensações já não nos pertencem. Mas estamos muito encucados com os acontecimentos.

– Vergonha o que, Lucas! É natural que tenhamos sensações das vidas passadas.

– Mas a vida passada em questão não era a nossa, e sim a do Mateus que está desacordado na enfermaria.

– Olha, vou lhes dar um conselho – diz Marques, aproximando-se e falando baixinho.

– Diga, Marques! – diz Nina.

– Conversem com o Daniel, peçam a ele para explicar exatamente o que vocês sentiram.

– Fiquei com vergonha de demonstrar minha fraqueza na frente de Daniel – diz Lucas.

– Quem lhe disse que isso é fraqueza? Tenha cuidado com as palavras. Aquilo que desconhecemos não é fraqueza e sim desinformação.

– É verdade, Lucas – diz Nina.

– Voltem lá e conversem com ele – aconselha Marques.

– Obrigado pela ajuda, Marques – diz Nina.

– De nada, meus jovens. Agora me deixe ir, tenho muitas coisas para cuidar.

– Obrigado, Marques – diz Lucas.

Marques se afasta e Nina senta-se em um banco próximo, convidando Lucas a sentar-se a seu lado.

– Muito estranho o que senti – diz Nina.

– O que você sentiu, Nina?

– Uma angústia muito grande, algo que há muito tempo não sentia.

– Eu também senti a mesma coisa – diz Lucas.

– Por que será que sentimos isso? Nós não estávamos na história. Será que algo terrível vai acontecer a eles?

– Não faço nem ideia, Lucas, mas uma coisa é certa: algo vai acontecer, e nós fomos fracos; deixamos Daniel sem entender nada – diz Nina.

– Dificilmente Daniel fica sem entender alguma coisa, Nina. Provavelmente ele sabe o que sentimos e só esperou que buscássemos as respostas dentro de nós primeiro, para depois nos dar o ensinamento necessário.

– Tomara seja isso – diz Nina.

– Vamos voltar à sala dele?

– Vamos, Lucas. Mas antes preciso resolver uma questão na enfermaria das crianças. Você vem comigo?

– Vou dar uma olhada no Mateus e encontro você lá.

– Obrigada e até já – diz Nina se afastando.

– Até – diz Lucas.

*Deixai vir a mim as crianças, não as impeçais, pois o Reino dos céus pertence aos que se tornam semelhantes a elas.*

*Mateus 19:14*

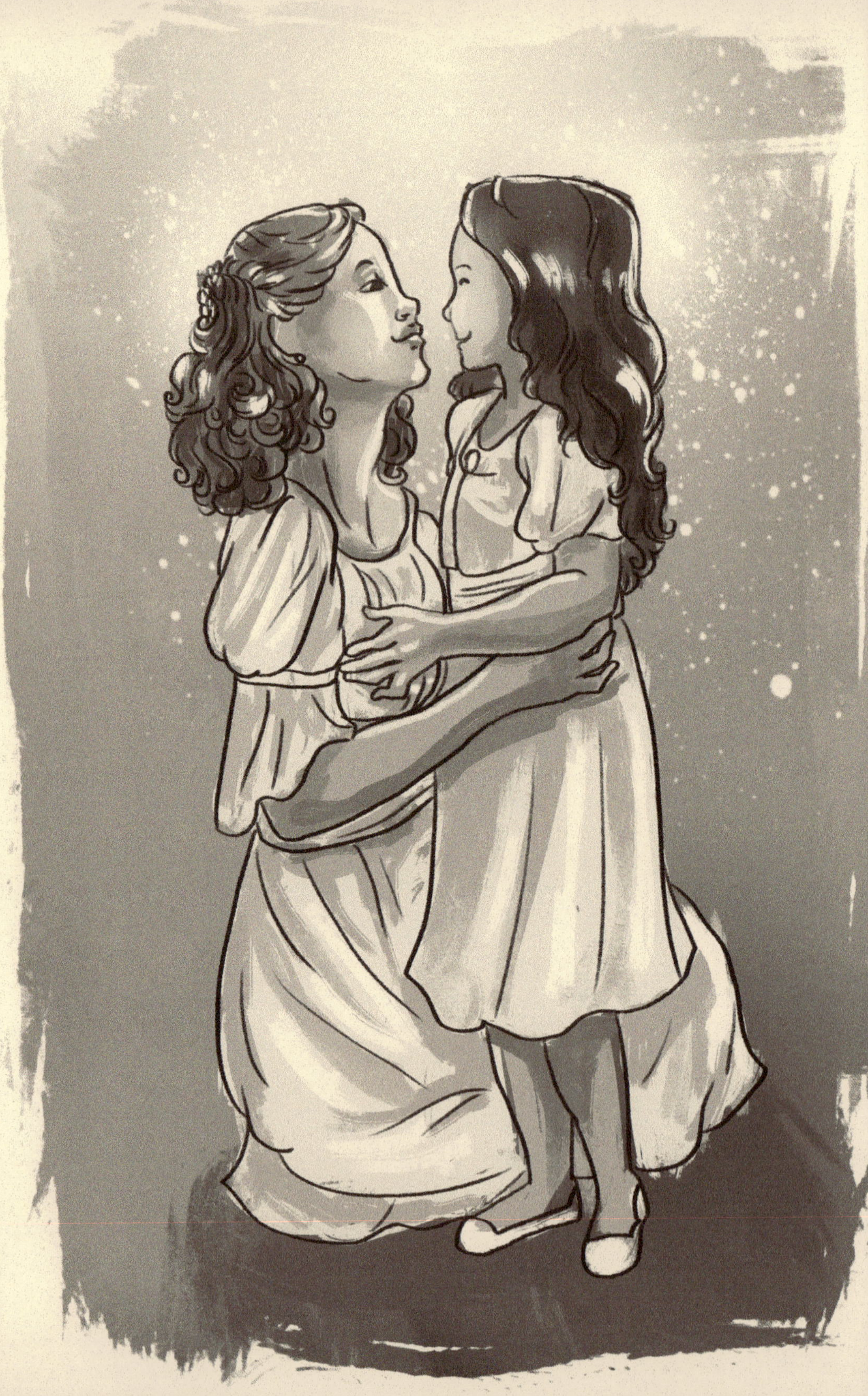

# Isabella

Nina está sentada em uma das salas de aula e conversa com uma menina de nome Isabella.

– Isabella, eu já lhe expliquei isso algumas vezes.

– Eu sei, tia Nina, você já me ensinou que eu tenho que compreender que o papai e a mamãe um dia virão ao meu encontro, isso se não me for permitido ir ao encontro deles.

– Então você já é uma mocinha e pode compreender isso – diz Nina, acariciando os lindos cabelos da menina.

– Sabe o que é, tia Nina? É que minha mãe sofreu muito com a minha doença, e eu queria muito abraçá-la e dizer a ela que estou bem e que tudo não passou de um momento que na verdade foi tão breve que mal posso me lembrar das quimioterapias.

– É isso, meu amor! É assim mesmo que você tem que pensar.

– Eu sei, tia, eu já compreendi tudo. Sei que Jesus me ama e que está cuidando da minha mãe, do meu pai e do meu irmão.

– Se você sabe disso, por que então fica preocupada com eles?

– É que o amor que sinto por minha mãe não para de pulsar dentro do meu coraçãozinho, e eu estou com saudades deles.

– Vamos fazer assim: vou conversar com Daniel e pedir a ele que me permita levar você até sua casa e assim você poderá ver que seus pais estão felizes e que a vida deles continua, apesar da saudade que sentem por você.

– Nina, será que você pode escrever uma cartinha para eles?

– Vou pedir permissão a Daniel, e dizer a ele que você está se comportando muito bem e que tem se dedicado aos estudos.

– Eu vou me dedicar mais, pode deixar, Nina.

– Sei disso, Isabella. Sei que você já superou sua doença e que está quase pronta para seguir em frente.

– Estou sim, tia, estou muito bem. Só sinto saudades.

– Isso é normal aqui. Vamos fazer assim: eu vou agora à sala do tio Daniel e prometo que vou conversar com ele sobre sua cartinha.

– Poxa tia, eu fico tão feliz!

– Eu te amo, Isabella.

– Eu também te amo, tia Nina.

Nina abraça a pequena Isabella e transmite a ela fluidos de paz e serenidade.

– Obrigada, tia!

– Agora vá brincar e confie no bom pastor.

– Pode deixar, tia.

Isabella sai correndo da sala em direção ao pátio onde diversas crianças estão brincando.

*O bem que praticares em algum lugar é o teu advogado em toda parte.*

*Chico Xavier*

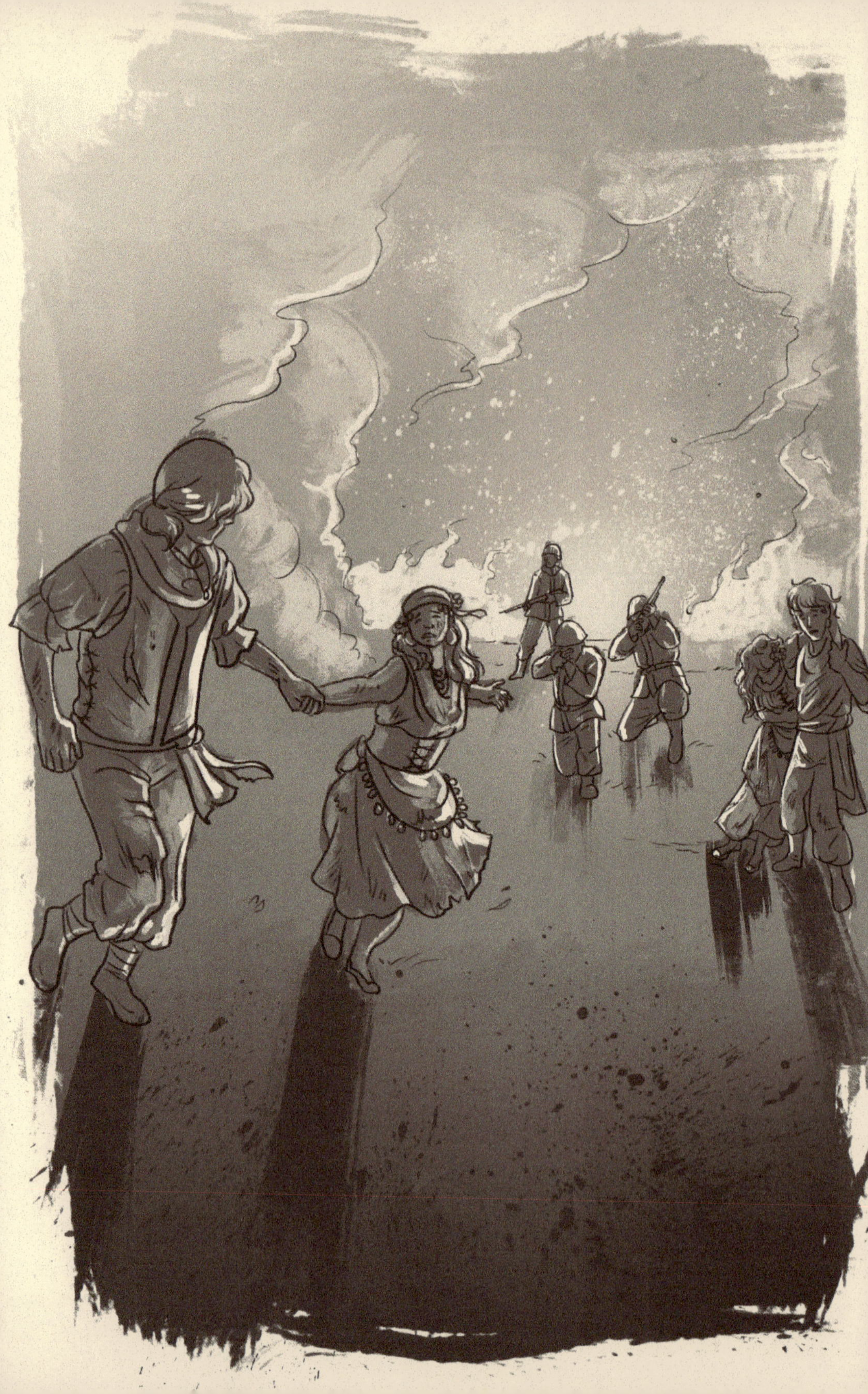

## O massacre

Nina sai à procura de Lucas, que está na enfermaria observando atentamente Mateus que dorme assistido por outros espíritos voluntários.

Silenciosamente Nina se aproxima do grupo.

– Lucas, vamos à sala de Daniel? – diz Nina, baixinho.

– Vamos sim, Nina. Com licença, senhores – despede-se Lucas do grupo.

Ao sair da sala, Lucas conversa com Nina.

– Você melhorou?

– Sim, e você?

– Sim, estou melhor; aproveitei para pegar bons fluidos na enfermaria.

– Esperto você, Lucas – diz Nina, sorrindo.

– Venha, vamos logo – diz Lucas.

Logo eles chegam ao amplo galpão onde fica a sala de Daniel.

– Olha Marques!

– Oi, Nina! Oi, Lucas, sejam bem-vindos!

– Obrigado, Marques, o Daniel está?

– Sim, ele está terminando uma reunião. Vocês podem aguardar aqui mesmo – diz Marques apontando um confortável sofá na recepção.

– Obrigada, Marques – diz Nina, assentando-se.

– Sente-se Lucas – diz Nina.

– Perdoe-me, estava distraído.

– Vocês estão mais calmos agora? – pergunta Marques.

– Sim, compreendemos que algo há de ser revelado nessa história – diz Nina.

– Agora estamos, na verdade, curiosos para saber o que aconteceu.

– Tenham paciência. Daniel, com certeza, vai lhes revelar o ocorrido.

– Sim, estamos ansiosos para saber o porquê daqueles sentimentos – diz Nina.

– Logo saberão – diz Marques.

– Venham, vocês já podem entrar – diz Marques, levantando-se de sua cadeira.

Nina, Lucas e Marques entram na sala de Daniel, que se levanta para cumprimentá-los.

– Sejam bem-vindos! – diz Daniel, cordialmente.

– Daniel, me sinto envergonhada em voltar assim – diz Nina.

– Envergonhada por que, Nina?

– Não fui humilde o suficiente para lhe contar o que estava sentindo, tive medo de meus sentimentos.

– Que bobagem! Você acha mesmo que é a primeira a passar por isso aqui em minha sala?

– Como assim, Daniel? – pergunta Lucas.

– Os sentimentos variam muito de uma pessoa para outra. Nessas reuniões em que nos remetemos às vidas anteriores, tudo pode acontecer. Sentimentos múltiplos transitam em nosso ser.

– Por que isso está acontecendo conosco, Daniel?

– Nina e Lucas, prestem atenção: Deus, em Sua infinita misericórdia, permite que os acontecimentos irrelevantes a nosso processo evolutivo sejam esquecidos por nós, isso é o que torna a existência eterna prazerosa. Imaginem se nós nos lembrássemos de tudo e de todos. Imaginem se lembrássemos de todas as nossas encarnações. De todos os momentos vividos. Teríamos que ter um banco de imagens e de dados muito superior à nossa forma espiritual atual. O que não contribuiu nos é esquecido. Imaginem se nos lembrássemos de todos os nossos dissabores das encarnações, teríamos uma vida eterna de lamentações e de saudades desnecessárias à nossa evolução. Portanto, as dores, os dissabores, as perdas, as separações... tudo isso é da vida material e na vida material fica. Para cá trazemos aquilo que de bom nos foi apresentado nas encarnações, e principalmente aquilo que assimilamos e utilizamos para nossa evolução. Por isso vocês se sentiram mal vendo aquela cena.

– Por que nos sentimos assim? – pergunta Lucas.

– Porque vocês estavam naquele grupo, naquele dia.

– Nossa! O que estávamos fazendo lá? – pergunta Nina.

– Vamos voltar a ver o filme e poderei lhes explicar melhor tudo o que está acontecendo entre vocês e o Mateus.

– Vamos sim, Daniel – diz Nina acomodando-se na confortável cadeira.

– Venha, Lucas, sente-se aqui – diz Marques, lhe apontando outra cadeira colocada ao lado de Nina.

A sala escurece e a cena volta à tela principal. Todos estão ansiosos para ver os acontecimentos.

– Daniel, onde esta história vai dar? – pergunta Nina.

– Na verdade, esta é uma linda história de aprendizado e amor, vamos observar.

Mateus está deitado embaixo de uma árvore, abraçado a Lola. Ambos estão apaixonados. As crianças e algumas ciganas adolescentes tomam banho nas águas cristalinas do pequeno, mas agradável riacho.

– Eu que pensei que um dia iria para um lugar bem longe, nunca me imaginei apaixonada por alguém – diz Lola deitada com a cabeça no peito de Mateus.

– A vida nos reserva coisas inexplicáveis.

– É verdade, meu amor, mas uma coisa é certa: eu jamais me separarei de você – diz Lola, apaixonada.

Mateus aperta sua amada em seus braços.

Tiros são ouvidos, todos se assustam e correm para o centro do acampamento onde Pablo, empunhando um punhal, está cercado por alguns soldados. Mateus se esconde atrás de uma árvore junto com Lola.

– Quem é você, cigano miserável?

– Meu nome é Pablo, senhor. E quem é o senhor?

– Não tenho satisfações a lhe dar. Soldados, matem todos – ordena o comandante do grupo de mais de sessenta soldados armados.

– Esperem, esperem! Por que vocês vão nos matar? Não fizemos nada a vocês, não estamos envolvidos com a guerra – diz Pablo, levantando as mãos e soltando o punhal.

– Vocês têm ouro? – pergunta outro que parece comandar o grupo.

– Não temos ouro, somos ciganos, não juntamos riquezas.

Pablo é assassinado com um tiro no peito imediatamente à sua resposta.

Lola não se controla e corre em direção a Pablo, caído ao chão e sangrando muito. Inutilmente Mateus tenta segurar sua amada.

– Quem é essa vagabunda? – diz o comandante.

– Por favor, senhor, não nos mate! Somos pessoas do bem, por favor! – Lola clama por sua vida e pela vida dos demais.

Impiedosamente o comandante ordena que todos sejam assassinados.

Obedecendo às ordens, todos morrem e Mateus assiste a tudo escondido.

Homens, velhos, mulheres e crianças são assassinados cruelmente pelo grupo de soldados. Sem pensar muito e agindo pelos sentimentos, Mateus dá um pulo e consegue atingir o comandante com seu punhal, agora cravado na jugular do soldado impiedoso. Todos os soldados atiram e Mateus é atingido por diversos tiros que lhe perfuram todo o corpo. Morto e ensanguentado, ele cai ao lado de sua amada Lola.

Nina se sente mal ao ver as crianças sendo assassinadas. Daniel se aproxima e lhe segura as mãos acalmando-a.

– Pude perceber que eu era uma das crianças assassinadas – diz Nina, emocionada.

– Sim, Nina, você era uma das crianças assassinadas – diz Daniel.

– Mas por que eu estava nesse grupo?

– Você e Lucas eram espíritos voluntários, vocês estavam para auxiliar Lola naquela encarnação.

— Entendi – diz Lucas.

— Mas onde está Lola? – pergunta Nina.

— Esta é outra história que vou lhes contar junto com Mateus, assim que ele acordar – diz Daniel.

— Eu não me lembro de nenhuma Lola – diz Lucas.

— Lembrem-se do que lhes ensinei há pouco, guardamos aquilo que nos é útil para a evolução.

— Sim, entendi – diz Nina.

— Logo vocês saberão de Lola e poderão auxiliar o Mateus mais uma vez.

— Sim, você já falou que eu e Nina seremos os mentores de Mateus em sua última oportunidade evolutiva.

— Sim, Lucas, eu já havia lhes convidado para esta missão. Mas existem ainda alguns pontos que precisamos ajustar para que tudo dê certo.

— Sem problemas, Daniel, estamos aqui para ajudar no que for preciso – diz Nina.

— Obrigado, Nina. Agora voltem a seus afazeres e assim que o Mateus acordar, tragam-no à minha sala para podermos ajustar tudo.

— Combinado – diz Nina se levantando.

— Venha, Lucas, vamos trabalhar.

# EU SOU EXU

Lucas e Nina se levantam, e após abraçarem Marques e Daniel, eles se retiram para continuarem suas atividades nos galpões onde milhares de espíritos são recebidos e atendidos por eles.

Tudo volta ao normal para Nina e Lucas em Amor & Caridade.

*O teu trabalho é a oficina
em que podes forjar a tua própria luz.*

*Emmanuel*

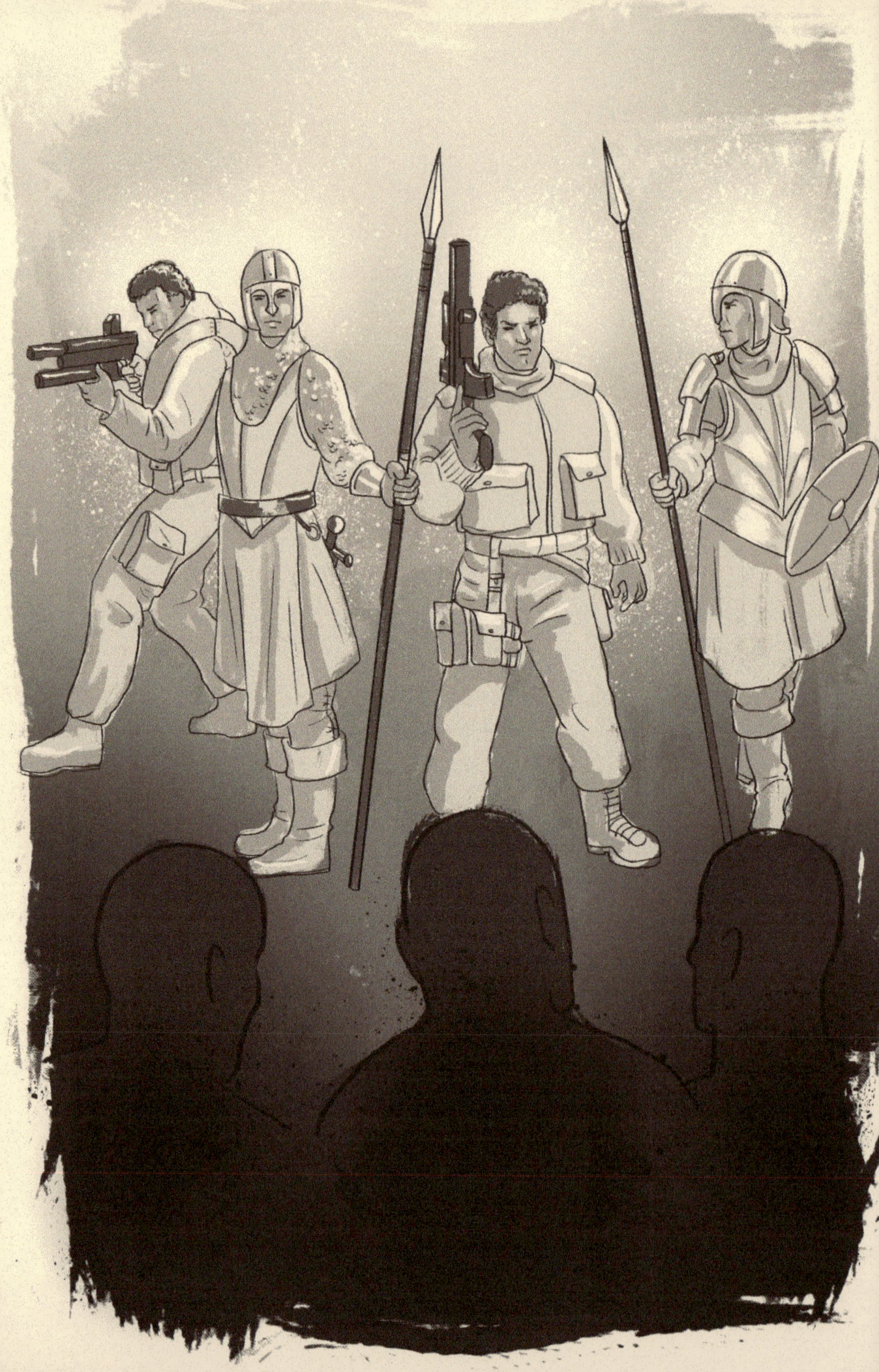

## As casas espíritas

Vários espíritos estão sendo trazidos ao centro espírita denominado Amor & Caridade. Alguns vêm para rever seus familiares e abraçá-los, trazidos por espíritos amigos. Alguns vêm de colônias distantes, outros vêm para assistir à palestra, que neste dia focou o tema suicídio.

Crianças abraçam suas mães transmitindo a elas a paz necessária para que continuem sua evolução pessoal. Isabella é uma das crianças que receberam autorização de Daniel para visitar suas mães. Ela foi trazida ao centro espírita por sua avó que está em outra colônia muito próxima, a Colônia Amor & Caridade.

– Olha, Nina, é a minha mãe – diz Isabella, emocionada e correndo ao encontro de sua mãe.

– Vai lá e abrace-a! – diz Nina, soltando a mão de Isabella.

Isabella sai correndo e se joga no colo da mãe, que percebe algo tocar seu corpo e sente o perfume de sua filha. A emoção é mútua, ambas choram as lágrimas da alegria do reencontro. Nina assiste a tudo aproximando-se de Isabella.

— Mãe, eu quero dizer que te amo – diz Isabella, olhando fixamente para sua querida mãezinha.

— Ela pode me ouvir, Nina?

— Não, com os ouvidos da carne, mas ela está ouvindo você com os ouvidos do coração – diz Nina.

— Olha, tia Nina, quero muito lhe agradecer por me permitir rever minha mãezinha.

— Não me agradeça, Isabella. Você só pôde vir aqui hoje porque está merecendo este encontro, é assim que as coisas funcionam lá na colônia; eu já lhe expliquei isso, você se lembra?

— Sim, claro que me lembro. Mas Nina, meu pai não está aqui.

— Infelizmente seu pai não acredita na vida eterna, ainda...

— Será que ele não vai mais poder me ver?

— O tempo pode nos auxiliar a mudar o coração dele, e quem sabe vocês um dia poderão se encontrar?

— É, quem sabe né, tia?

— Vamos nos manter em orações pelo seu pai. Tenho certeza que vamos conseguir trazê-lo para o seio da espiritualidade – diz Nina, confiante.

— Espero que ele deixe de ser burro e entenda de uma vez por todas que a vida é eterna, e que eu o amo muito, tia Nina.

– Eu vou fazer uma oração especial por ele – diz Nina.

– Obrigada, tia – diz Isabella sem sair do colo de sua mãe.

– Olhe, Isabella, já vai começar a palestra. Agora você tem que ficar em silêncio para que todos os espíritos que vieram conosco possam ouvir os ensinamentos do palestrante.

– Vou ficar bem quietinha aqui no colinho da minha mãezinha, pode deixar, tia Nina.

– Então eu vou lá para frente para auxiliar meus amigos no passe, comporte-se!

– Pode deixar, tia – diz Isabella abraçando sua mãe que percebe a presença da filha e não consegue conter as lágrimas.

Nina e outros espíritos amigos se dirigem à sala de passes. Toda a casa espírita é cercada por espíritos protetores que tomam conta de todos os acessos possíveis ao ambiente.

Espíritos vestidos com farda, outros portando lança e até mesmo espíritos com armamento pesado tomam conta das entradas da casa espírita naquele momento. São guardiões que estão de prontidão para que tudo corra dentro da normalidade espiritual.

Tudo é organizado para que espíritos como Nina, não sofram ataques no orbe terreno que é muito denso. A casa espírita está protegida e assegurada das más influências.

Daniel chega ladeado de outros quatro iluminados. Hoje é dia de cirurgia naquela casa espírita.

Alguns médicos chegam com o grupo. São os espíritos que trabalham nas enfermarias das colônias espirituais. Tudo está organizado para começar, o ambiente é sereno e de muita paz.

Nina se aproxima de Daniel.

– Oi, Daniel!

– Olá, Nina!

– Que bom ver tantas pessoas envolvidas com a caridade! – diz Nina, emocionada.

– É verdade, Nina. Esta casa espírita é um porto seguro de almas sofridas que encontram aqui a paz necessária para seu reequilíbrio terreno.

– Sim, eu gosto muito de vir aqui.

– Eu também – diz Daniel.

– Olhe o coração daquele médium que está concentrado.

– Lindo não é mesmo, Daniel? Como é bom ver esses operários do bem, concentrados e imbuídos ao serviço da caridade!

– Sim, isso me deixa extremamente feliz – diz Daniel.

– Daniel, reparei que hoje a segurança desta casa espírita está reforçada. O que houve? Fazem-se necessários tantos guardiões assim?

– Nina, as casas espíritas espalhadas sobre o orbe terreno vêm sofrendo ataques constantes dos espíritos que descobriram que não poderão mais reencarnar na Terra. O desespero é grande, e assim as casas espíritas têm que estar asseguradas para que nós possamos entrar e sair sem nenhum problema.

– Pobres coitados! – diz Nina.

– Sim, Nina, pobres coitados! Não foi por falta de aviso. Durante muito tempo estivemos pregando as palavras de Jesus e alertando a todos sobre a transformação necessária que se faria neste orbe. O problema é que as pessoas veem o espiritismo como uma troca de favores, quando na realidade nós não temos obrigação de ajudar ninguém a conseguir isso ou aquilo; nossa luta é para que os espíritos encarnados reconheçam-se como espíritos eternos e promovam dentro de si as mudanças necessárias para alcançarem sua evolução pessoal.

– Sempre participei efetivamente deste processo e ainda estou participando – diz Nina.

– Sim, você está na missão do exílio, e isso é muito bom para sua evolução pessoal – diz Daniel.

– Sim, eu, Rodrigo e os demais estamos recolhendo alguns espíritos e encaminhando-os para o Umbral. Lá, eles estão se concentrando, esperando a hora exata do exílio final.

– É lamentável esta situação, mas fazer o quê – diz Daniel.

— É verdade, Daniel, os encarnados preferem acreditar em tolices a acreditar no que lhes é óbvio.

— Infelizmente é assim mesmo, Nina. Pior ainda são aqueles que estão dentro das casas espíritas, receberam essa oportunidade e por vaidade, falta de vontade ou até mesmo inveja, se desligam da caridade e acabam sofrendo as consequências do exílio.

— É, Daniel, infelizmente é o que mais estamos vendo nas casas espíritas. Os encarnados têm que entender que as coisas de Deus são evolutivas e que uma palavra dita hoje pode se transformar amanhã.

— Verdade, Nina. Velhos hábitos, velhos livros, velhas histórias, velhos costumes e todos estão ficando para trás.

— Por que as pessoas demoram tanto a acreditar no que lhes é óbvio, Daniel?

— Ignorância, falta de amor, e principalmente intolerância.

— Daniel, quando será que tudo isso vai passar, ou melhor, dizendo: mudar?

— Já estão chegando à Terra inúmeros espíritos denominados cristais. Eles já estão encarnando em número muito grande. Logo, logo tudo isso será passado, e todos estarão na mesma frequência evolutiva.

— Você está falando das crianças cristal?

— Sim, são elas, as crianças cristal que vão mudar todo o destino da Terra.

– Ainda bem que a misericórdia divina resolveu auxiliar a todos.

– Ele não se esquece de nenhum filho Seu, tenha paciência. É na paciência que conhecemos as coisas de Deus.

– Verdade, Daniel – diz Nina.

– Agora se me permite, vamos começar as cirurgias espirituais.

– Claro, Daniel, claro que sim.

– Venha, Nina! Ajude-me a pôr o remédio nesses pacientes.

– Obrigada pela oportunidade.

Nina auxilia Daniel no tratamento aos pacientes que estão na fila para serem atendidos. Todos trabalham incansavelmente pelo bem do próximo.

Após todos serem atendidos, Nina e todos os espíritos deixam a casa espírita que continua assistida pelos guardiões por horas após a reunião.

Mesmo após os trabalhos, diversos espíritos permaneceram na porta da casa espírita, tentando entrar; insistiam em buscar naquele ambiente de luz sua redenção pessoal ou serem salvos. Pareciam verdadeiros zumbis, desesperados por luz. Os guardiões se mantiveram firmes tomando conta do local.

*O amor é o único sentimento que levaremos
para a vida eterna.*

*Nina Brestonini*

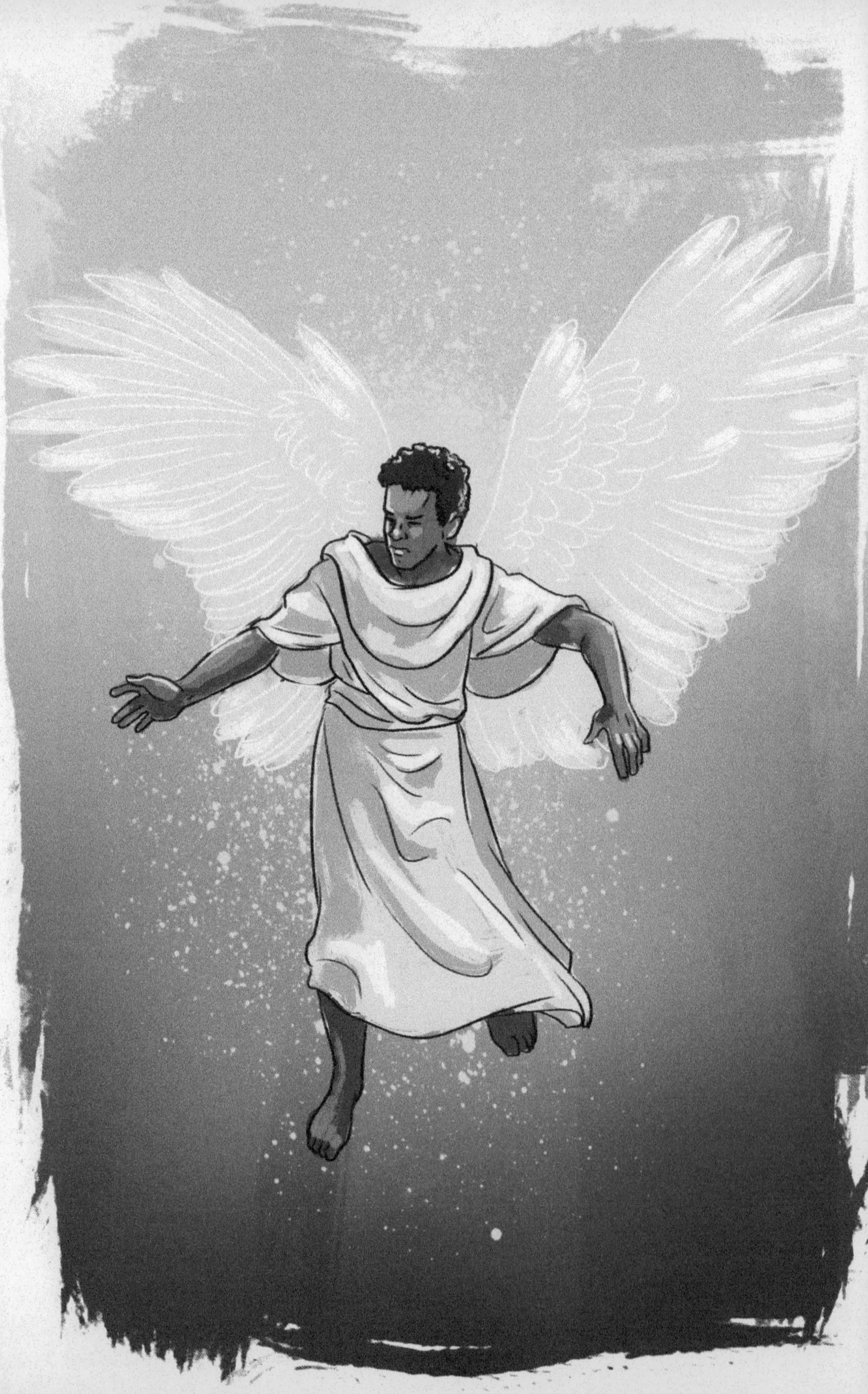

## De volta à vida

Nina procura Daniel em seu gabinete.

– Marques, será que o Daniel pode me atender?

– Acho que sim, Nina, ele está há bastante tempo sozinho.

– Será que ele está ocupado?

– Olha Nina, da última vez que entrei na sala dele ele estava se preparando para orar.

– O que você acha que tenho que fazer? – pergunta Nina.

– Espere aqui, que vou falar com ele – diz Marques levantando-se e caminhando em direção à porta que dá acesso à sala de Daniel.

Nina senta-se e fica esperando autorização para entrar. Após algum tempo Marques volta com a notícia:

– Nina, Daniel me pediu para lhe avisar que ele vai sair para caminhar na colônia e que gostaria de sua companhia.

– Nossa, que honra a minha! – diz Nina.

– Sim, realmente é uma honra – diz Marques.

Logo Daniel aparece vestido com uma roupa branca que lhe cobre todo o corpo. Nos ombros carrega uma espécie de manto azul-claro bordado e enfeitado com pedras que brilham como pétalas de luz.

– Nossa, Daniel, você está lindo! – diz Nina.

– Obrigado, Nina.

– Aonde você vai assim, tão elegante? – pergunta Marques.

– Vocês se esqueceram?

– Esquecemo-nos de quê, Daniel? – pergunta Nina.

– Hoje é dia de supervisão. Dia da supervisão mensal.

– Nossa, juro que esqueci – diz Nina.

– Pois bem, então suas enfermarias devem estar funcionando perfeitamente, não é, Nina?

– Espero que sim, Daniel – diz Nina, assustada.

– Marques, pegue as pranchetas e vamos supervisionar todos os setores da colônia.

– Sim, senhor.

Imediatamente Marques abre um armário, uma espécie de arquivo onde existem várias pastas, pega todas elas e segue atrás de Daniel e Nina.

– Vamos, Nina?

– Vamos sim, Daniel!

Eles começam a caminhar em direção aos galpões da colônia.

– Então, Nina, a que devo esta visita fora do horário e do protocolo?

– Desculpe, Daniel, mas é que estou com algumas coisas na cabeça e gostaria muito que você me explicasse. Claro, se isso não for lhe incomodar.

– Podemos conversar andando?

– Sim, Daniel, sem problemas – diz Nina.

– Então o que é que você quer saber?

– Primeiramente, perdoe minha ignorância, mas nunca tive oportunidade de conversar sobre isso com você.

– Prossiga, Nina – diz Daniel.

– Quando estivemos naquele centro espírita para auxiliarmos nas cirurgias espirituais, vi que havia um verdadeiro exército de guerreiros protegendo o lugar.

– Sim, é necessário que eles tomem conta para que possamos desempenhar nossa função nas casas espíritas.

– Isso eu compreendi perfeitamente. O que, na verdade, eu gostaria de saber é como tudo isso é orquestrado, como tudo é organizado para que funcione perfeitamente. Não sei se você me entende.

– Entendo sim, Nina. Você quer saber como tudo isso funciona?

– Sim, eu sei que aqui na colônia, por exemplo, você coordena todos os trabalhos, auxiliado por nós. E agora mesmo você está indo fazer uma supervisão para ver se está tudo dentro da normalidade como você sempre exige de nós.

– Sim, é isso mesmo – diz Daniel, sem parar de caminhar.

– Lá embaixo é assim que funciona também?

– Me deixe contar-lhe uma história muito antiga.

– Por favor, Daniel – diz Nina.

– Vamos nos sentar aqui.

Daniel convida Nina e Marques a se sentarem em um dos diversos bancos que existem numa pequena praça arborizada e com lindas flores.

– Vamos nos sentar aqui – diz Marques, curioso e ansioso para ouvir mais uma história de Daniel.

Nina senta-se ao lado de Marques, que ajeita as pastas em seu colo segurando-as com as duas mãos.

Daniel então começa a contar a história.

– Há muito tempo quando viemos, exilados de Capela, logo que Jesus assumiu a administração desta galáxia, houve a necessidade de se montar uma estrutura material e espiritual para nos receber. Foi assim elaborada uma grande estrutura para que todos os espíritos tivessem oportunidades infindas de evolução.

Neste orbe terreno há colônias físicas espirituais e espaços fluídicos dos quais nem mesmo os espíritos mais evoluídos que aqui estão conseguem se aproximar. Algumas dessas estruturas são de uma matéria densa, na qual podemos tocar e até mesmo manipular; e outras são estruturas fluídicas, as quais ainda não nos é permitido conhecer seu propósito final.

Sabemos que Jesus coordena tudo e administra de forma impecável tudo o que acontece nesses mundos. Há vários mundos dentro deste mundo. Acho que assim fica mais fácil para vocês entenderem.

– Daniel, perdoe-me, mas pode nos explicar de outra forma?

– Vou tentar, Marques: vocês já ouviram falar em coisas tridimensionais?

– Sim, outras dimensões que sabemos que existem – diz Nina.

– Isso, Nina! Imagine o seguinte: dentro do nosso orbe, dentro de nossa própria galáxia, existem essas dimensões, se assim fica melhor para o seu entendimento.

– Deixe-me ver se entendi: dentro de nosso planeta espiritual existem planetas espirituais fluídicos que nós não conseguimos perceber. É isso?

– Isso, Nina. Existem em nosso planeta espiritual outros espaços ou colônias fluídicas mais puras aos quais infelizmente ainda não temos acesso.

– Entendi, Daniel... tipo o lugar onde Jesus vive?

– Sim, é isso. Um lugar ainda mais puro do que este a que estamos acostumados aqui.

– Caramba, como eu nunca pude perceber isso?! – diz Marques.

– Deixe-me lhes dizer outra coisa: cada vez que vocês evoluem, automaticamente adquirem mais inteligência, certo?

– Sim, certamente – diz Nina.

– E cada vez que vocês adquirem mais inteligência, mais se distanciam das imperfeições espirituais.

– Nossa, Daniel, nunca tinha pensado nisso! – diz Marques.

– O objetivo é a perfeição, lembrem-se disso.

– Claro, o objetivo de Deus é que todos nós nos tornemos espíritos perfeitos e puros.

– Então voltemos à nossa historinha.

– Sim, claro, perdoe-nos a empolgação – diz Nina.

– Quando viemos de Capela, toda essa estrutura foi montada para podermos estar em evolução contínua. Assim, foram criados também submundos, mundos densos, onde espíritos que não desejam a evolução possam permanecer por longo período até que chegue o dia de seus resgates.

– Claro, isso se chama justiça divina.

– Isso, Nina! Muito bem, justiça divina! – diz Daniel, que prossegue:

– Nestes submundos existem mentores e diretores. Há oportunidades em todos os lugares.

– Justiça divina – diz Marques.

– Sim, Marques, justiça divina – diz Nina.

– As oportunidades evolutivas são infindas, Ele é assim. Este é Seu desejo. Lembre-se de que Jesus alertou: "Há muitas moradas na casa de meu pai".

– Verdade, Daniel – diz Nina.

– Então, Nina, aqueles soldados que nos guardam nas esferas inferiores são amigos que buscam por meio da caridade nas portas, nas esquinas, nas praias, nas matas, enfim em todos os lugares, suas oportunidades evolutivas.

– Perdoe-me, Daniel, mas por que eles usam aquelas roupas, aquelas espadas... enfim, todo aquele aparato, já que nada disso é real?

– Olhe aquele pássaro pousado naquela árvore ali – aponta Daniel com o indicador mostrando a Nina e Marques um pequenino pássaro sobre o galho de uma árvore.

– O que tem o pássaro? – pergunta Nina.

– Você está vendo o pássaro, Marques?

– Sim, Daniel, eu posso vê-lo.

– Ele é real?

– Sim, pois estamos vendo – diz Nina.

– Tudo é real em sua necessidade de realidade. Deus deixa que essas coisas aconteçam para que nós possamos aceitar as transformações sem traumas e sem dores. Portanto, o pássaro em questão e uma imagem fluídica necessária para que a passagem de um estado para outro seja de forma gradual e sem dores, e para que nunca nos esqueçamos das coisas que Ele criou e cria a todo momento para a felicidade de Seus filhos.

– Entendi, Daniel. Deus permite que algumas coisas pareçam reais para que possamos respeitá-las ou até mesmo para que essas visões nos ajudem a encarar uma nova realidade e nos auxiliem na tão desejada evolução plena.

– Isso, Nina, Deus é amor.

– Verdade, Deus é amor – diz Marques, emocionado.

– Então aquelas formas, aquelas armas e aquelas roupas são aparências fluídicas permitidas para que tudo esteja organizado de acordo com os conhecimentos e as inteligências envolvidas?

– Isso mesmo, Nina! Nada é real até que toda a realidade seja mostrada. Ou tudo é real até que você descubra sua realidade – diz Daniel.

– Nossa, Daniel, que beleza! A cada dia que passa mais eu aprendo e respeito o Criador.

– Ele é maravilhoso e completo, Nina – diz Daniel.

– Verdade, completo – concorda a jovem, emocionada com os ensinamentos.

– Agora podemos voltar aos trabalhos? – diz Daniel se levantando.

– Sim, Daniel, claro que sim.

– Então vamos.

Daniel, juntamente com Marques, supervisiona todas as enfermarias, os galpões, as salas de atendimento, enfim toda a Colônia Amor & Caridade.

*E o pó volte à terra, como o era, e o espírito volte a Deus, que o deu.*

## Eclesiastes 12:7

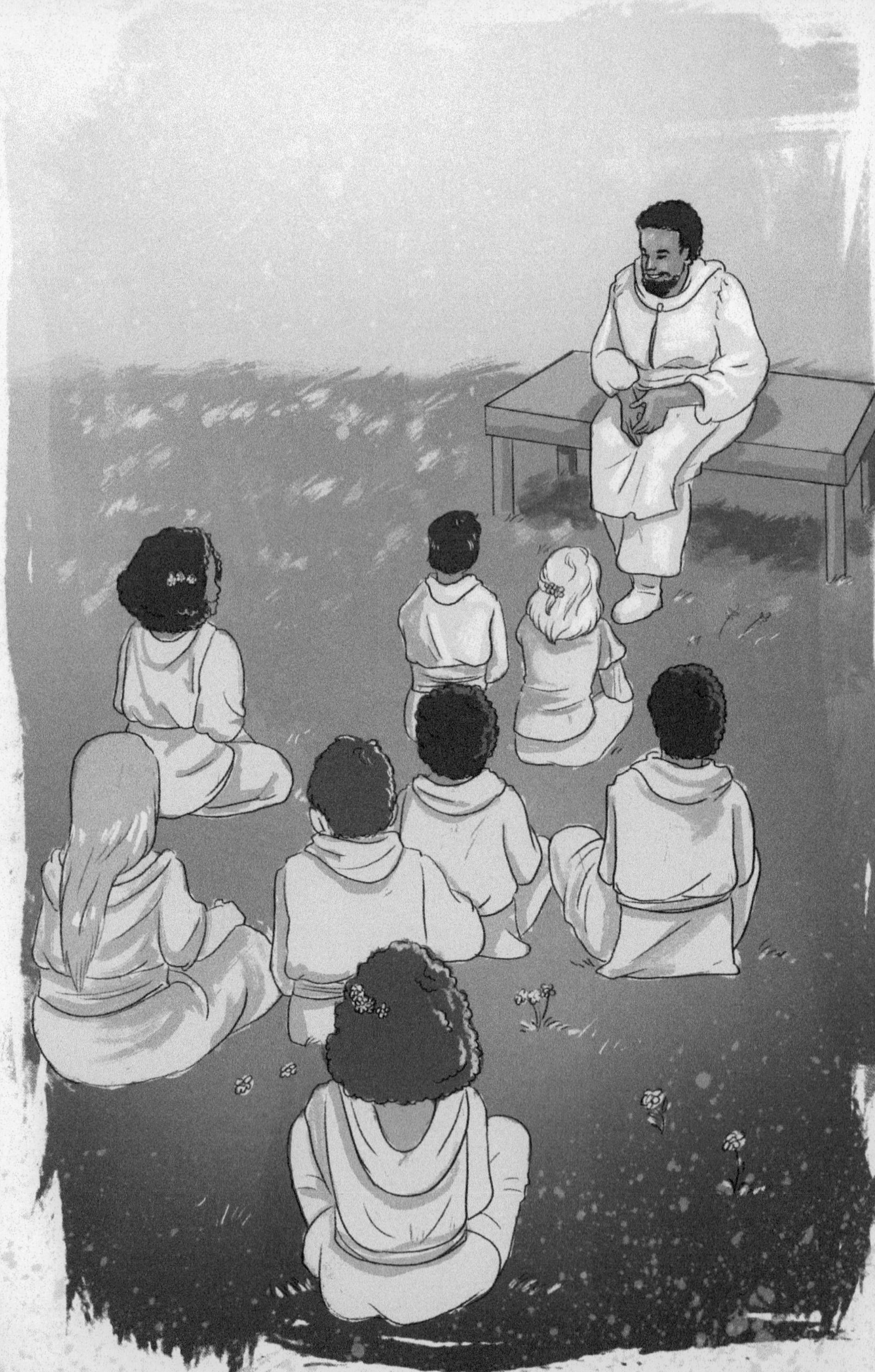

# Imortalidade da alma

Após a supervisão da colônia, Daniel passava com Marques perto de outra praça, onde um grupo de aproximadamente vinte jovens estavam sentados, conversando sobre os ensinamentos de Jesus.

Silvano é o rapaz que cuida das instruções aos recém-chegados na colônia e aproveita esses momentos para acalmar os jovens que desencarnam, vítimas de câncer. São momentos mágicos em que os espíritos mais iluminados costumam aparecer para auxiliar Silvano. Por vezes esses amigos usam da intuição para instruir objetivamente todos os presentes.

Daniel aproxima-se para cumprimentar Silvano.

– Olá, Silvano!

Imediatamente o rapaz se põe de pé e curva-se lentamente em direção ao nobre Daniel.

– Não precisa fazer isso, Silvano.

– Daniel, você é, sem dúvida, uma dádiva de Deus para nós.

– Olá meninos, olá meninas!

Todos cumprimentam Daniel, felizes com sua presença.

– Vejo que vocês não estão perdendo tempo – diz Daniel.

– Sim, Daniel, estamos conversando um pouco sobre a imortalidade da alma – diz Silvano.

– Olha que interessante! – diz Daniel.

– É de suma importância para os jovens recém-chegados que compreendam sua existência – diz Silvano.

– É verdade, Silvano, é verdade – diz Daniel.

– Daniel, se não for abuso de nossa parte, você pode nos passar algum ensinamento?

– Claro, é com imenso prazer que me junto a esse lindo grupo – diz Daniel sentando-se em um banco de madeira e sinalizando para que todos se sentem à sua volta.

– Posso começar?

– Sim, Daniel – dizem os jovens.

– Então vamos lá: a morte amedronta tanto o ser encarnado, que este assume posturas as mais variadas possíveis, desde aquelas infantis, em que nega toda a sua maturidade, até outras em que chega a negar a sua condição de ser racional. É profundamente estranho que essa criatura, que se pavoneia de ser o rei da criação, se mostre tão dolorosamente despreparado diante da única certeza comum a todos os seres humanos: a certeza da morte.

– Verdade, querido Daniel – diz Giselle, uma menina de dezesseis anos.

– Ao perguntar a uma pessoa encarnada onde ela quer ser enterrada quando morrer, certamente vocês ouviram como resposta a designação de um local de sua preferência, não é isso?

– Sim, Daniel – respondem.

– Ao interrogar esta mesma pessoa sobre o destino de sua alma, certamente responderá que irá para o céu, não é isso?

– Sim, Daniel.

– Pois bem. Mas a fragilidade desse posicionamento é facilmente demonstrável diante de um simples questionamento: "E se ela não for para o céu e sim para o inferno; o que isso importa a você, uma vez que é ela quem vai e não você? Você não disse que deseja ficar enterrado em tal lugar?".

Essas perguntas causam perplexidade e levam muitas pessoas, pela primeira vez, a usarem seu raciocínio no exame do assunto morte. Mas depois de algum tempo, costumam aparecer saídas como esta, ditas até em tom vitorioso: "Não sou eu quem vai ser enterrado em tal lugar; é o meu corpo!". Com essa afirmativa, em vez de resolver o problema, agrava-o ainda mais.

– É verdade, Daniel, eu mesma pensava assim – diz Cristiane.

– Pois bem, Cristiane, preste muita atenção no que vou lhe ensinar agora: o ar de vitória desaparece logo, ao se lembrar à pessoa que ela usou dois possessivos: meu corpo e minha alma. Se há posse, há possuidor. Quem é o possuidor daquele corpo e daquela alma? Quem está habilitado a apresentar-se como proprietário e, consequentemente, reclamar-lhes a posse? Não é mesmo?

– Sim, Daniel.

– Pois bem, é exatamente essa falta de racionalidade que leva o ser encarnado a fugir do assunto, portando-se como a criança que, ao esconder o rosto atrás das mãos, imagina ter resolvido o problema do seu esconderijo. Ou como o avestruz que, segundo dizem, esconde a cabeça sob a areia, pensando fugir do perigo.

Risos... Daniel prossegue.

– A criatura humana recusa-se a pensar, porque pensar na morte dói. Meditar, refletir sobre a questão, só pode revelar-lhe a sua fragilidade, o seu despreparo diante do magno assunto do qual todos fogem desesperadamente.

– Ah, disso eu fugi muito na minha escola, e até mesmo durante o tratamento quimioterápico que recebia no hospital. O assunto morte era proibido nas enfermarias – disse Thais, uma jovem de quinze anos.

– E qual a saída para o impasse? – pergunta Daniel.

– Não sabemos responder, Daniel – diz Silvano.

– Pensem – diz Daniel.

– Não temos esta resposta – diz Márcio, outro jovem de quinze anos.

– A única posição lógica é aquela em que todos devem assumir a sua condição de espírito imortal, detentor da posse de um corpo físico, pelo qual ele se manifesta temporariamente, enquanto esse corpo tiver vida. É o espírito que pensa, que aprende que odeia e que ama. O corpo é mero instrumento de uso transitório na Terra. Pode-se até dizer que é descartável, e o é mesmo. O espírito, não. Ele é imortal, indestrutível. É o arquivo vivo de todas as experiências vividas durante a romagem terrena, durante as encarnações.

– É verdade, querido Daniel – emocionado diz Silvano.

– Agora, se me permitem, tenho algumas coisas ainda a tratar – diz Daniel.

– Nós é que lhe agradecemos por estes ensinamentos, querido irmão – diz Thais.

– Vocês estão com o professor certo – diz Daniel, abraçando Silvano.

– Obrigado a todos – diz Marques.

– Obrigado, querido Marques.

Todos se abraçam e Daniel volta a caminhar ao lado de Marques em direção a seu gabinete.

Após alguns metros...

– Parece-me que os jovens ficaram muito felizes com suas explicações, Daniel – diz Marques.

– Espero ter-lhes passado algo que os façam refletir bastante sobre suas existências.

– Sabe, Daniel, a cada dia que passa, mais me sinto feliz por fazer parte desta colônia.

– Eu também, Marques. Receber esses jovens e ter a oportunidade de acalentá-los e direcioná-los para a plenitude me faz muito feliz, e tenha a certeza de uma coisa...

– O que, Daniel?

– Ele, que tudo vê, deve estar agora muito feliz com tudo o que estamos fazendo.

– Eu também acho – diz Marques.

– O que seria de nós se não tivéssemos essa oportunidade? – diz Daniel, olhando para Marques.

– Verdade, Daniel. Não consigo me imaginar fazendo outra coisa se não estar ao seu lado ajudando em Amor & Caridade.

– Somos felizes, Marques, e é isso o que importa.

– Verdade, Daniel, somos muitos felizes.

Daniel acelera o passo em direção à sua sala.

*Escapamos da morte quantas vezes for preciso, mas
da vida nunca nos livraremos.*

*Chico Xavier*

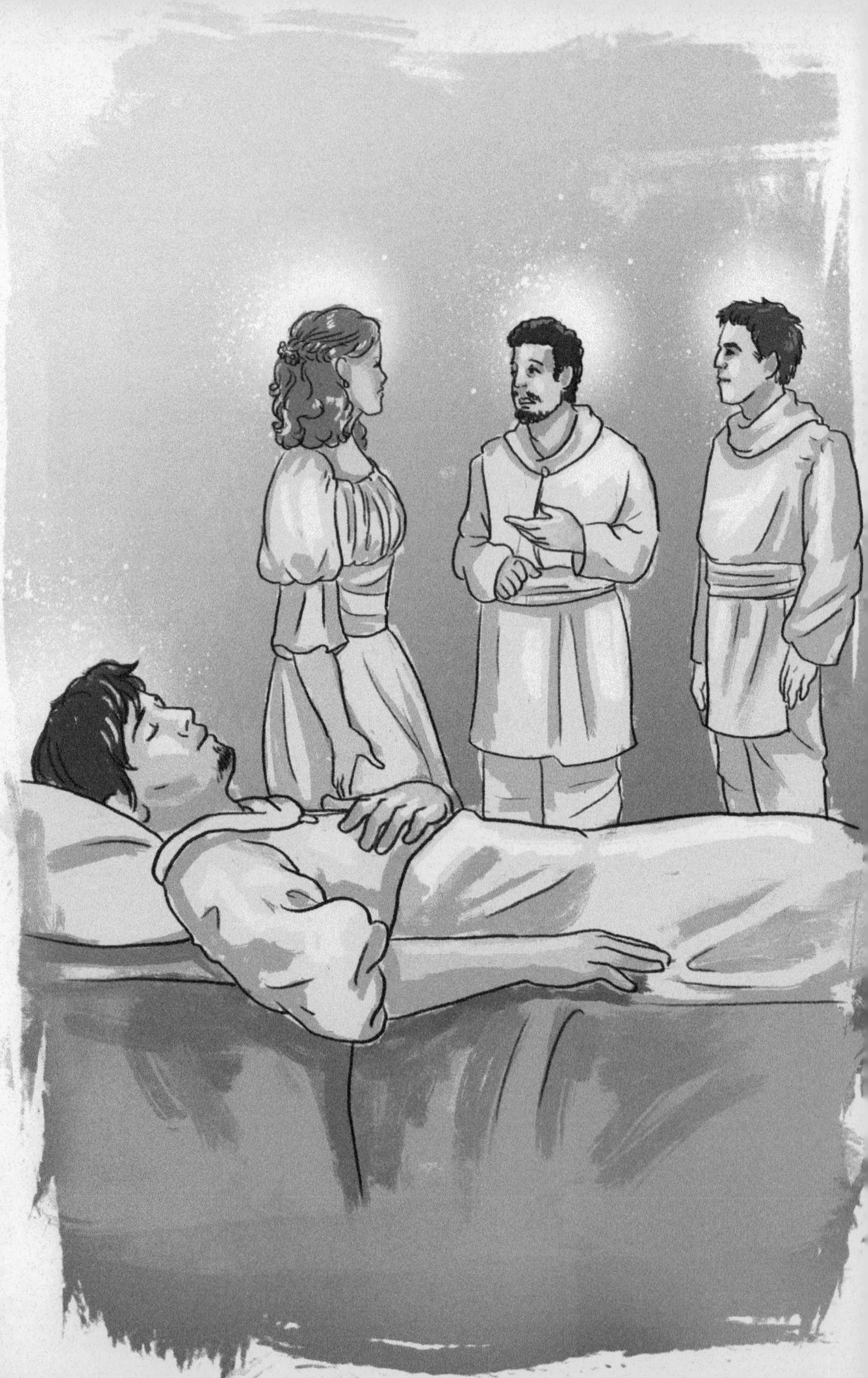

## O recomeço

Daniel é procurado por Marques, que deseja lhe informar que Mateus está prestes a acordar do sono da recuperação.

– Daniel, perdoe-me incomodá-lo, mas devo lembrar-lhe que Mateus está muito próximo a ser acordado do sono da recuperação.

– Obrigado, Marques pela lembrança, mas estava mesmo esperando por este momento. Faça-me um grande favor.

– Sim, Daniel.

– Peça a Nina e ao Lucas para virem aqui para eu lhes passar as instruções necessárias para o caso de Mateus.

– Pode deixar, estou indo lá imediatamente, obrigado!

– Vá, Marques, e deixe a ansiedade de lado – brinca Daniel.

Marques sai apressadamente indo em direção à enfermaria para procurar Nina, que está cuidando das crianças.

Marques chega à enfermaria de número quatro.

– Nina, Nina! Que bom que achei você! – diz Marques, esbaforido.

– O que houve, Marques?

– Daniel deseja ver você e o Lucas urgentemente.

– Nossa, mas o que houve?

– Alertei-o sobre Mateus e ele me pediu para chamá-los em seu gabinete.

– Sim, mas o Mateus será acordado pelo Daniel e ele não está aqui.

– Sim, mas é porque ele quer tratar do assunto do Mateus lá na sala dele, entende?

– Marques, conhecendo-o como o conheço, você é quem está ansioso para saber o que vai acontecer ao Mateus – diz Nina.

– Não é nada disso. Você sabe que, como secretário direto de Daniel, prezo pelo bom andamento das coisas aqui na colônia.

– Está bem, Marques, vamos fazer de conta que acreditamos – diz Lucas aproximando-se.

– Que bom que você também está aqui, Lucas! Daniel deseja vê-los imediatamente.

– Nossa, Nina, hoje ele está mais ansioso do que nunca! – diz Lucas.

– O que foi que você disse, Lucas?

– Nada, Marques, nada... Só estou acertando os detalhes com Nina, para podermos ir ao encontro de Daniel; avise-o que já estamos indo, por favor.

– Está bem, mas não demorem, por favor.

Marques sai apressadamente para o galpão principal deixando Nina e Lucas na enfermaria infantil.

Após algum tempo, Nina e Lucas se dirigem à sala de Daniel.

– Oi, Marques, Daniel pode nos receber? – diz Nina.

– Podem entrar, ele está esperando por vocês já faz algum tempo – diz Marques, contrariado.

Nina e Lucas entram na sala.

– Com licença, Daniel.

– Entre, Lucas. Entre, Nina. Sentem-se, por favor – diz Daniel.

– Obrigado – agradece Lucas sentando-se.

Nina senta-se ao lado do amigo.

– O que quer de nós, Daniel?

– Nina, como vocês já sabem, está próxima a hora de acordarmos o Mateus.

– Sim, ele já está praticamente restabelecido e já pode ser acordado.

– Pois é sobre isso que precisamos conversar – diz Daniel.

– Vamos lá – diz Lucas.

– Vocês lembram que eu comentei que você, Lucas, seria o mentor espiritual na próxima oportunidade evolutiva de Mateus?

– Sim, claro que sim.

– Pois bem, vieram-me informações que há muito tempo eu já havia solicitado, que me permitem oferecer ao Mateus uma oportunidade que, tenho certeza, ele não vai recusar.

– Sim, e o que podemos fazer para ajudá-lo? – diz Nina.

– Querida Nina, por diversas encarnações o Mateus viveu uma experiência emocional e sentimental com seu espírito par, se posso dizer assim.

– Espírito par?! O que é isso, Daniel? – pergunta Lucas.

– Chamamos espíritos pares aqueles que, por afinidade, decidem reencarnar juntos e juntos buscarem sua evolução.

– Ah! espíritos afins? – diz Lucas.

– Também recebem essa denominação – diz Daniel. – Isso, na realidade, pouco importa, Lucas. O que temos que decidir é como poderemos auxiliar o Mateus e a Lola. Vocês se lembram de Lola?

– Sim, lembro-me dela cuidando com carinho das crianças e de seu assassinato ao lado de Mateus – diz Nina.

– Lola foi o grande amor de Mateus em suas últimas encarnações? – pergunta Lucas.

– Muito bem, Lucas, muito bem... Vejo que você está atento às coisas de Mateus – diz Daniel.

– Ela foi o grande amor de Mateus, Daniel? – pergunta Nina.

– Sim, Nina, foi sim. Vejamos o que temos a seguir:

– Você pode nos falar mais um pouco sobre Lola? – diz Nina.

– Sim, Claro. Pois bem, na realidade Lola é o espírito par de Mateus ou, se preferir, espírito afim.

– Sim, mas qual é o problema? Isso eu já entendi. Eles estão juntos em missão evolutiva.

– O problema, Nina, é que Lola se encontra trabalhando em Aruanda, e eu preciso de uma permissão especial para autorizar Mateus a ficar junto com ela em Aruanda.

– Sei. E o que podemos fazer para ajudar?

– Vocês não vão me perguntar o que é Aruanda? – diz Daniel, surpreso.

– Sinceramente, Daniel, já sabemos que Aruanda é uma colônia. E que é a colônia que está mais próxima da Terra; que é de lá que saem todos os guardiões das colônias; e que os espíritos que lá se encontram são os responsáveis por todas as tarefas mais difíceis semeadas sobre a Terra.

– Muito bom, Nina, parabéns! – diz Daniel, feliz.

– Eu não sabia que era assim – diz Lucas.

– Continue então, Nina, a explicar para que o Lucas possa entender e conhecer um pouco mais sobre Aruanda.

– Aruanda é uma das maiores colônias espirituais. Ela fica localizada muito próxima do orbe terreno. É lá que muitos espíritos que compreendem a lei evolutiva servem como voluntários nas diversas atividades espirituais e espiritualistas da Terra.

— Ouvi dizer que lá existem espíritos de índios, velhos e crianças que trabalham nas casas espíritas – diz Lucas.

— Não é só isso, Lucas. Na verdade, os espíritos que lá decidiram ficar e auxiliar a evolução do planeta se vestem desta forma, ou melhor dizendo, se apresentam desta forma para que possam auxiliar dentro dos terreiros e das casas espíritas, inclusive nas reuniões mediúnicas do espiritismo. Eles não são velhos, eles fingem ser velhos, pois assim fica mais fácil passar suas mensagens, e é assim que a cada dia mais eles trazem adeptos para a doutrina espírita. Infelizmente, alguns precisam ainda desse tipo de interação para acreditar nos espíritos.

— Os meios justificam os fins, é isso?

— Sim, o importante não é como você se mostra, e sim o que você consegue alcançar quando você se mostra – diz Nina.

— Quer dizer que esses índios que trabalham na segurança das casas espíritas, os quais até vimos dias atrás, são, na verdade, espíritos como nós?

— Muitos deles foram índios nas encarnações passadas, mas outros não. Todos somos espíritos.

— Entendi, e assim eles conseguem adquirir adeptos para o espiritismo, dando-lhes os primeiros ensinamentos, os ensinamentos introdutórios, é isso?

– Sim, pelo estado evolutivo dos encarnados atualmente, se faz necessário que nós, espíritos afinados com a lei da evolução, por vezes tenhamos que nos mostrar de uma forma totalmente contrária a nosso estado espiritual atual. Às vezes, nos passamos como espíritos das florestas, dos rios, dos lagos... enfim, de diversos pontos da natureza para que o ouvinte à nossa frente desperte em si a curiosidade de conhecer a doutrina dos espíritos. Na verdade, essa é a primeira porta para aguçar a curiosidade e atingirmos nosso maior objetivo, que é a reforma íntima de cada ser encarnado.

– Nossa, Nina! Que bom que Ele permite que seja assim!

– Ele tudo permite, ainda mais quando o objetivo é nobre. Muitas vezes você vai chegar a um centro espírita e irá conversar com uma determinada entidade. Quando, na verdade, quem está conversando com você é um de nós, que já alcançamos um estado evolutivo bem melhor do que os demais.

– Mas por que o Mateus vai para lá, Daniel?

– Nós vamos sugerir a ele que vá para lá, porque Lola está trabalhando em Aruanda; e conhecendo bem o Mateus, ele não vai querer ficar longe dela.

– Entendo – diz Nina.

– Mas o que é que nós poderemos fazer para ajudá-lo, Daniel? – pergunta Lucas.

– O problema é que Lola está trabalhando como um exu feminino, melhor dizendo, como uma cigana, essa é a denominação que ela escolheu – diz Daniel.

– E qual será o problema?

– O problema será Mateus aceitar trabalhar como exu masculino para estar na mesma vibração de Lola.

– Não tinha pensado nisso... Se ele não estiver na mesma sintonia que ela, dificilmente poderá encontrá-la.

– É isso – diz Daniel.

– Caramba, teremos uma árdua missão pela frente! – diz Nina.

– É verdade, Nina. Primeiramente, para vocês entrarem em Aruanda eu tive que solicitar uma permissão especial, que já me foi concedida – diz Daniel.

– Nossa, eu nunca estive nesse lugar – diz Nina, assustada.

– Pois é, Nina. Se você se lembra, começamos essa conversa porque recebi uma resposta, lembra?

– Sim, mas qual foi a resposta?

– Vocês se lembram do índio que está guardando a nossa colônia e que é o responsável pela segurança de todos vocês?

– Sim, o Caboclo Ventania!

– Ele mesmo. Ele será o companheiro de vocês em Aruanda.

– Mas qual é o problema, Daniel? Eu ainda não consegui entender – diz Lucas.

– Vocês não fazem ideia do que estão se metendo – diz Daniel.

– Não me assuste, Daniel! – diz Nina.

– Não é questão de assustar, é que em Aruanda há, no mínimo, o triplo de espíritos que há em todas as colônias juntas.

– O quê?! – diz Lucas, assustado.

– Sim, o número de espíritos que estão em Aruanda é muito grande. E tenho receio de vocês por lá. Não que eu não confie em Ventania e em vocês. É questão de densidade. É um plano muito inferior.

– Daniel, se nós temos que cumprir a missão, não refutaremos este desafio; confio em Deus e tenho certeza de que Jesus está no comando de tudo e não nos deixará neste momento – diz Nina.

– Nina, você sempre disposta a ajudar – diz Daniel.

– Verdade, Nina, tem horas que nem eu acredito nas coisas que você suporta – diz Lucas.

– Olha, tenho em meu coração a confiança que Deus colocou. E tenho a certeza de que todos os mentores da superioridade que nos oportunam todos os dias sabem que só precisamos de uma certeza. A certeza de que o amor supera qualquer obstáculo e é o único instrumento que podemos utilizar para vencer todos os desafios existenciais – diz Nina.

– Muito bem, Nina – diz Daniel, orgulhoso.

– Tô dentro, eu vou com você aonde quer que seja – diz o jovem Lucas.

– Deixe-me lhes explicar uma coisa.

– Sim, Daniel – diz Nina.

– Prestem atenção:

– Sim.

– Por se tratar de uma missão em um lugar que realmente pouco conheço, darei as instruções necessárias durante a estada de vocês em Aruanda.

– Sem problemas – diz Nina.

– Mas como nos comunicaremos com você, Daniel? – pergunta Lucas.

– Antes de saírem com o Mateus para a missão, peguem com o Marques um pequeno aparelho de comunicação que usaremos. Aquele em que você plasma uma tela e é por meio dela que nos comunicaremos.

– Pode deixar – diz Nina.

– Podemos ir agora, Daniel?

– Sim, Lucas, vocês podem ir; mais tarde irei acordar Mateus, e conversaremos com ele.

– Estaremos lhe esperando.

– Obrigada mais uma vez pela oportunidade, Daniel – agradece Nina.

– Eu é que agradeço todos os dias por ter perto de mim espíritos como você, Nina.

– Obrigado, Daniel.

– Vamos, Nina?

– Vamos, Lucas!

Assim, Nina e Lucas deixam a sala de Daniel e voltam à sua rotina nas enfermarias da Colônia Amor & Caridade.

*Ainda que eu andasse pelo vale da sombra da morte, não temeria mal algum, porque tu estás comigo; a tua vara e o teu cajado me consolam.*

*Salmo 23:4*

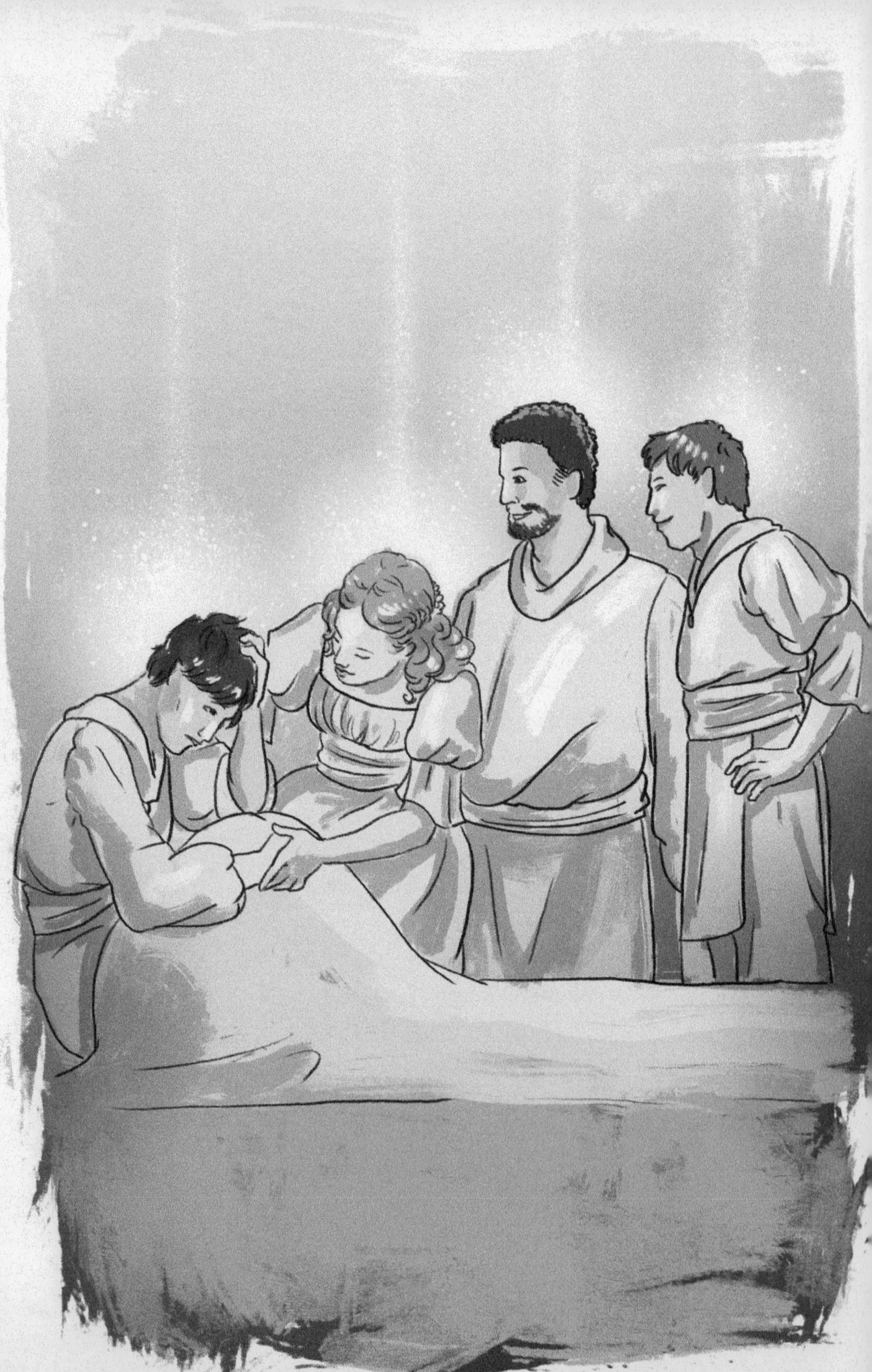

## Renascer

Daniel chega à enfermaria acompanhado de Nina e Lucas para acordar Mateus. Eles se aproximam do leito onde o jovem rapaz está despertando do sono da recuperação.

Nina estende as mãos em direção à cabeça de Mateus, enquanto Daniel e Lucas observam o despertar do amigo.

– Bem-vindo, Mateus! – diz Daniel.

– Onde estou?

Nina desce seus braços e coloca a mão direita sobre o peito do paciente assistido.

– Você está na Colônia Espiritual Amor & Caridade, Mateus – diz Daniel.

– Sim, claro, perdoe-me... Você é o Daniel?

– Sim, estamos aqui para acordá-lo e orientá-lo sobre sua nova caminhada.

– Vou reencarnar?

– Não, isso já não lhe é mais permitido.

– Você não é a Nina?

– Sim, Mateus.

– Nossa, Nina, você sempre bonita como um anjo!

– Obrigada, Mateus.

– E você, quem é?

– Eu me chamo Lucas – diz o jovem estendendo a mão direita para cumprimentar Mateus.

– Posso me sentar, Daniel? – pergunta Mateus.

– Claro que sim, sente-se Mateus – diz Daniel, auxiliando o jovem a sentar-se na cama.

– Nossa, parece que dormi um século!

– Foi quase isso – brinca Lucas.

– Sério?!

– Não, estou brincando – diz Lucas.

– O tempo que você dormiu não importa, o que importa é que você está pronto para recomeçar, e isso é bom – diz Daniel.

– Onde está Lola?

– Lola está em outra colônia – diz Nina.

– Lembro-me que fomos assassinados juntos.

– Sim, foi isso mesmo.

– Então por que ela não está aqui comigo?

– Lola já está trabalhando para elevar-se em outra colônia – diz Daniel.

– Posso me juntar a ela? – pergunta Mateus.

– É justamente sobre isso que viemos aqui, para lhe acordar e conversar com você – diz Nina.

– O que houve?

– Lola está em um plano muito denso e bem perto da Terra – diz Nina.

– Isso não é problema para mim, só não posso e não quero seguir sem ela – diz Mateus.

– Sabemos disso – diz Daniel.

– Então, o que estamos esperando para que eu possa ir ao encontro de Lola?

– Estamos esperando a autorização dos dirigentes de Aruanda.

– Aruanda?! Onde fica isso? – pergunta Mateus.

– Vou lhe explicar um pouco sobre essa colônia – diz Daniel.

– Pois não, Daniel, obrigado – diz Mateus.

– Preste atenção: os habitantes de Aruanda são espíritos trabalhadores do bem e da caridade; lá, existem espíritos recém-desencarnados em aprendizagem. Em Aruanda, há espíritos de luz que há muito não retornam à esfera física pela reencarnação. Estes guias espirituais, como são chamados, apesar de sua evolução espiritual, permanecem na dimensão vibratória de Aruanda, para continuar auxiliando encarnados e desencarnados, manifestando-se nos centros espíritas sob a roupagem fluídica de pretos velhos, caboclos e crianças e outras denominações que só estando em Aruanda no seu dia a dia para conhecer. Suas verdadeiras formas, no entanto, transcendem raça, credo ou etnia, sendo possível sua manifestação em qualquer congregação que pratique o binômio amor-caridade e que admita a comunicação espiritual.

— Entendi, Daniel. Não vejo nenhum problema em trabalhar lá — diz Mateus.

— Sinceramente, até acho que será uma experiência fantástica para vocês estarem lá por algum tempo — diz Daniel.

— Por que, Daniel? — pergunta Nina.

— Estar em outros planos, em outras vibrações espirituais, certamente é uma experiência edificante para quem está em evolução, entende, Nina?

— Certamente nós aprenderemos muito em Aruanda — diz Lucas.

— E quando é que teremos a resposta de Aruanda? — pergunta Mateus.

— Breve, muito breve, espero — diz Daniel.

— E o que faço enquanto aguardo a resposta?

– Ajude Nina e Lucas em suas tarefas nas enfermarias – diz Daniel.

– Com prazer! – diz Mateus.

– Bom, agora preciso voltar à minha sala e cuidar de algumas coisas antes da partida de vocês – diz Nina.

– Daniel, perdoe-me lhe perguntar, mas por que Nina e Lucas irão comigo para Aruanda? – pergunta Mateus.

– Eles serão seus condutores até que você encontre Lola.

– Entendi. Agradeço a colaboração de vocês.

– Que nada, para nós será uma dádiva ajudá-lo a encontrar seu grande amor – diz Nina.

– Não vejo a hora de encontrá-la – diz Mateus.

– Sabemos que não será nada fácil, mas Deus há de estar conosco e logo encontraremos Lola – diz Lucas.

– Daniel, você tem alguma dica de onde ela está em Aruanda? – pergunta Mateus.

– Eu só sei que ela está trabalhando como cigana, como sempre foi.

– Que legal! – diz Nina.

– Sim, Nina, ela teve permissão para manter suas características das encarnações anteriores.

– Isso é permitido, Daniel? – pergunta Mateus.

– Sim, claro. O que você tem de melhor é o que de melhor você tem; sendo assim, o que Lola tem de melhor é a parte cigana, e é a parte cigana que está auxiliando-a a evoluir.

– Entendi – diz Mateus.

– As coisas aqui funcionam assim, Mateus. O que você construiu de bom em seu ser é aproveitado para suas futuras encarnações ou escolhas evolutivas – diz Nina.

– Eu entendo. Quer dizer que se fui um bom soldado, e isso sempre fui, a melhor parte de mim é o soldado, e isso poderei ajustar em mim para auxiliar-me em minha evolução pessoal e com isso até posso contribuir para a evolução de todos.

– Muito bom, Mateus; muito bom, parabéns! – diz Daniel.

– Pode-se ver que Mateus não é um espírito sem nenhuma evolução – diz Lucas.

– É verdade, Lucas, Mateus já está próximo de ser um iluminado. Embora eu tenha mostrado a vocês algumas encarnações dele, existiram outras que vocês não viram e que certamente foram melhores do que aquelas a que vocês assistiram – diz Daniel.

– Eu me lembro de muitas vidas – diz Mateus.

– Sim, Mateus, você já teve muitas vidas; e agora terá a oportunidade de realizar seus ajustes finais em Aruanda.

– Sem problemas, para mim o que mais importa é estar ao lado de Lola.

– Muito em breve vocês estarão juntos – diz Nina, consolando o amigo.

– Espero que sim, Nina; eu estou com muitas saudades dela.

– Agora preciso ir – diz Daniel despedindo-se de todos.

– Vá, Daniel. Vou levar o Mateus para me ajudar nas enfermarias – diz Nina.

– Assim que tivermos a autorização aviso vocês.

– Obrigado, Daniel.

– Obrigado, amigo – diz Mateus.

Daniel deixa o ambiente e volta a seu gabinete enquanto Nina, Lucas e Mateus seguem para a enfermaria de número quatro para observar as crianças.

*Assim como a semente traça a forma e o destino da árvore,
os teus próprios desejos é que te configuram a vida.*

*Emmanuel*

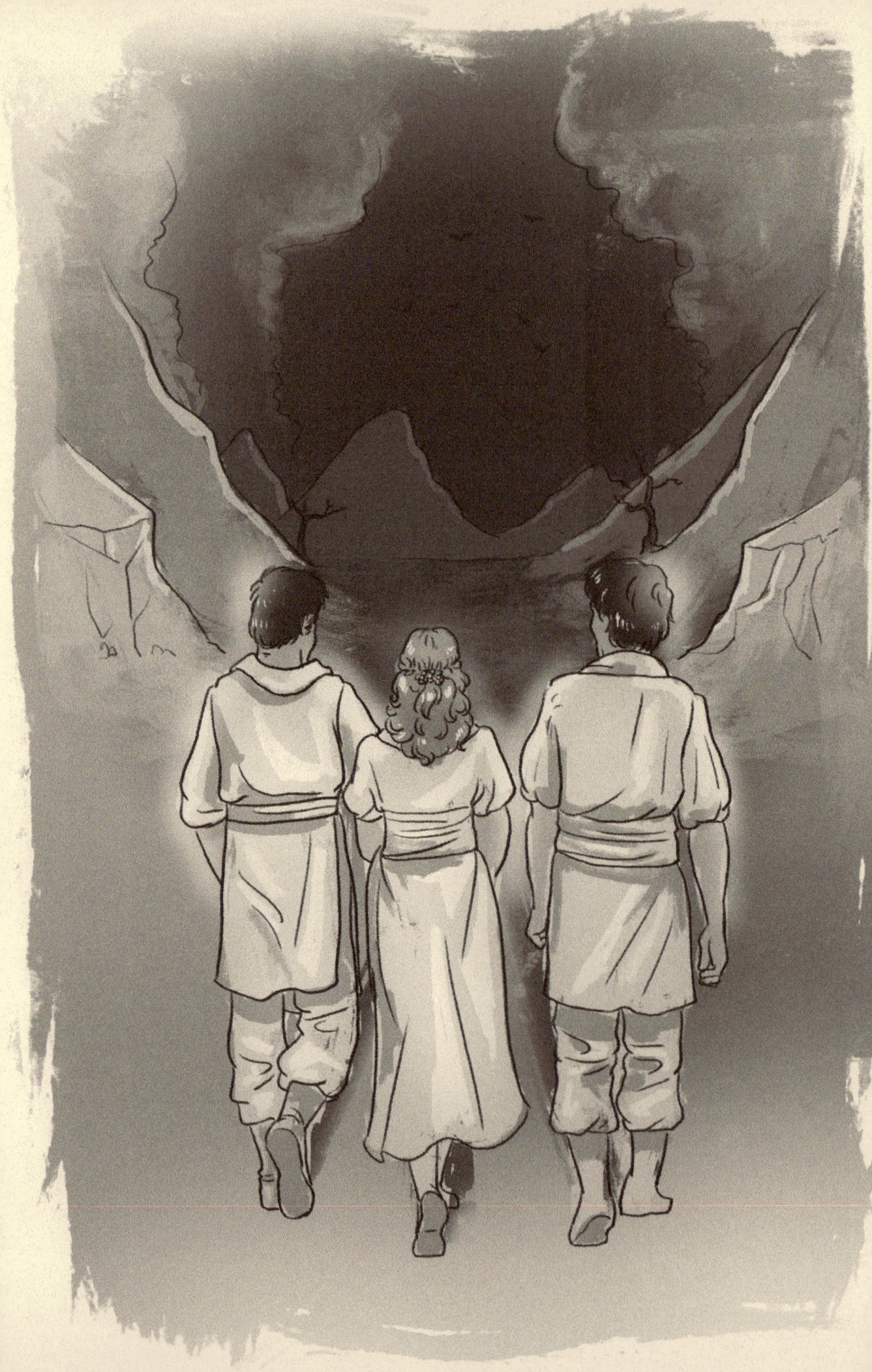

# A porta aberta

Daniel chama Marques em sua sala.

– Marques, por favor, peça a Nina para vir aqui, e junto com ela traga o Mateus e o Lucas.

– Pois não, Daniel, pode deixar, estou indo.

Algum tempo depois todos estão reunidos na ampla sala de Daniel.

– Temos permissão para irmos para Aruanda, Daniel?

– Sim, Mateus. Há algumas condições sobre as quais quero conversar com vocês a respeito.

– Diga, Daniel, nós estamos preparados – diz Lucas.

– Como todos sabem, Aruanda é uma das maiores colônias espirituais criadas para auxiliar o desenvolvimento de todos os espíritos, sejam encarnados ou desencarnados. Na realidade, é de Aruanda que parte a maioria dos espíritos missionários na Terra. Lá, existem diversas falanges se assim podemos chamar, que organizam e supervisionam o dia a dia daqueles que estão passando por provas e expiações.

– Sabemos disso – diz Nina.

– Pois bem, é em Aruanda que vocês terão que achar Lola;

ela está trabalhando na falange de Exu, que é o guardião das ruas, praças, avenidas, encruzilhadas e muito mais. São esses espíritos os encarregados, junto com os caboclos e pretos velhos da segurança de todas as pessoas encarnadas. Eles, inclusive, são os guardiões das casas espíritas espalhadas por todo o globo.

– É uma bela missão – diz Lucas.

– Sim, Lucas, é uma das mais importantes missões sobre o orbe terreno neste momento. Como todos já sabem, o planeta Terra deixará muito em breve de ser um planeta de provas e expiações e passará a ser um planeta de regeneração. Por esse motivo as casas espíritas vêm sofrendo ataques constantes, pois aqueles que já têm o conhecimento de que não poderão mais reencarnar querem a todo custo destruir as coisas do bem, espalhadas sobre a Terra, por nós que somos os trabalhadores da última hora. Eles estão tentando se instalar nas casas espíritas disfarçados de operários do bem para tentarem a todo custo destruir a obra divina. Aruanda vem desempenhando um papel muito importante nesta hora.

– Que legal, Daniel! – diz Mateus.

– Pois é disso que temos que cuidar nestes dias. Vocês partirão o mais breve possível e enfrentarão alguns desafios até encontrarem com Lola. Chegando a esse encontro, deixem Mateus aos cuidados dela e voltem imediatamente para a colônia.

– Sim, Daniel – diz Nina.

– Eu estarei monitorando essa missão bem de perto.

– Obrigado, Daniel.

– Você, Mateus, deverá procurar a falange de Tranca Rua das Almas, é nela que você trabalhará.

– Sim, Daniel, sem problemas.

– Você, Lucas, será o mentor espiritual de Mateus até que ele consiga encontrar-se com Lola. Após este encontro, você poderá auxiliá-lo daqui mesmo, enviando-lhe pensamentos positivos e incentivando-o a praticar o bem mesmo estando em condição tão inferior.

– Sim, Daniel, pode deixar.

– Prestaram atenção em tudo?

– Sim, Daniel.

– Então arrumem suas coisas e partam para Aruanda.

– Obrigado mais uma vez, Daniel, pela oportunidade.

– Vá, Mateus, resgate seus últimos débitos, trabalhe para o bem, auxilie os mais necessitados e evolua, pois é esse o desejo dAquele que lhe criou.

– Sim, sou grato todos os dias pelas oportunidades evolutivas que me são apresentadas – diz Mateus, emocionado.

Nina se aproxima e abraça o amigo. Lucas abraça os dois e Daniel, enfim, abraça os três.

Todos estão muito emocionados e felizes.

*Não reclame das sombras, faça luz.*

*André Luiz*

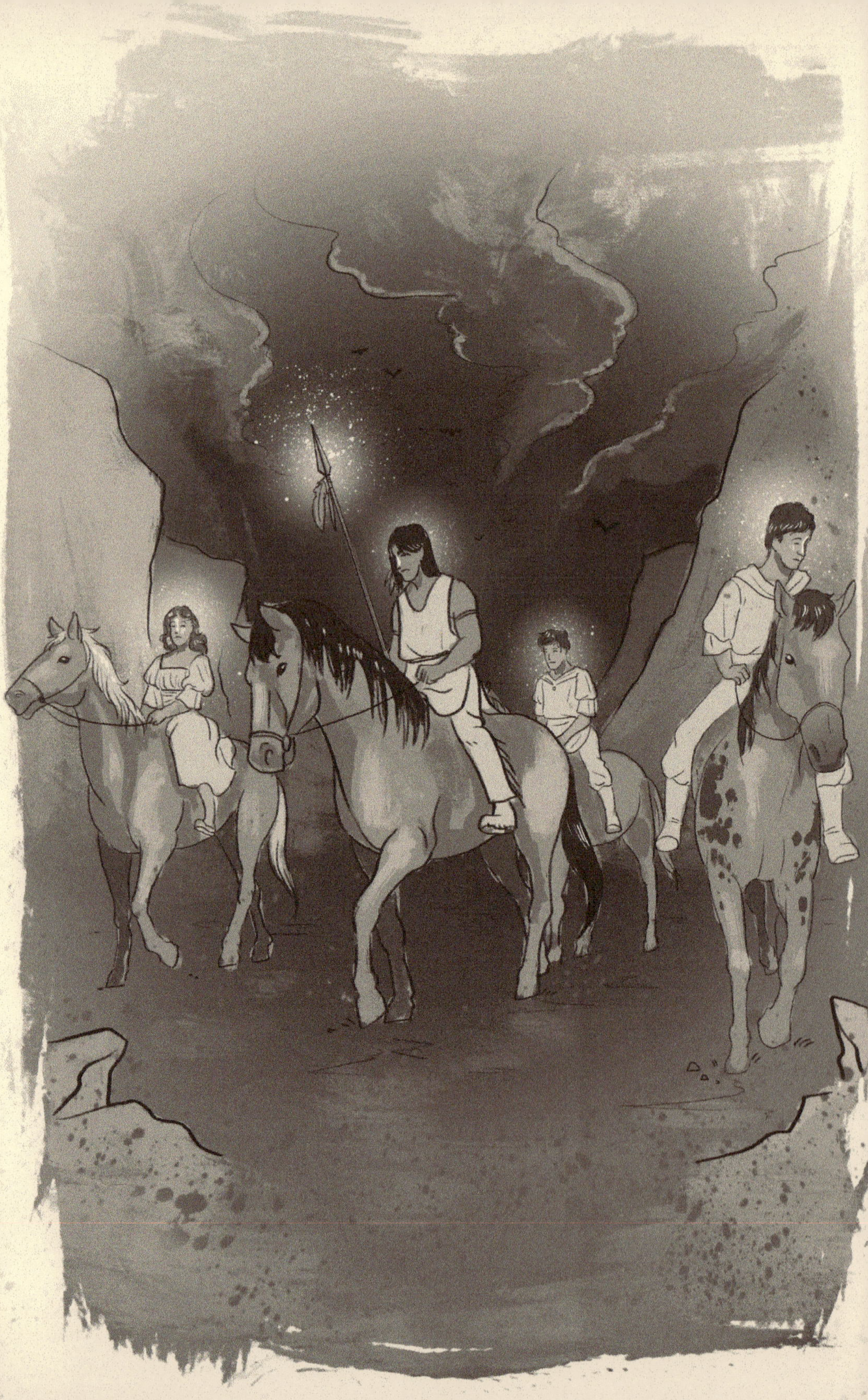

## A viagem

Nina, Lucas e Mateus saem da colônia e são recebidos pelo Caboclo Ventania, montado em um lindo cavalo. Ao lado, mais três cavalos prontos para servir aos espíritos missionários.

– Precisaremos desse tipo de transporte? – pergunta Mateus.

– Sim, Mateus, passaremos por caminhos densos e muito escuros. Passaremos por estradas esburacadas e teremos contato com espíritos muito baixos, por isso necessitamos de um transporte que seja comum nesse lugar.

– Bom-dia, me chamo Ventania! – diz o Caboclo, estendendo a mão direita para cumprimentar Mateus.

– Perdoe-me, senhor, a ignorância – diz Mateus.

– Fique tranquilo, Mateus, Ventania é um grande amigo de todas as horas.

– É verdade, esse nosso amigo é muito legal – diz Lucas.

Mateus estende a mão e cumprimenta o Caboclo.

– Vejo que você trouxe algumas coisas para a viagem, Ventania.

– Sim, Nina, trouxe algumas roupas, cobertas e ervas.

– Teremos aquele chazinho?

– Sim, com certeza na primeira parada farei um chá para todos.

– Nossa! chá?! – diz Lucas.

– Sim, nesses planos mais densos, sentimos, às vezes, a necessidade de algum elemento do lugar para nos adaptarmos melhor à vibração local.

– Entendi – diz Lucas.

– Você não vai falar nada, rapaz?

– Não, senhor Ventania, eu só estou a observar – diz Mateus.

– Eu acho que ele está um pouco assustado – diz Ventania.

– Não estou, senhor. Só estou mesmo é com uma enorme saudade de Lola, não vejo a hora de poder encontrá-la e abraçá-la.

– Breve, nós a encontraremos – diz Nina.

– Montem seus cavalos e vamos partir – diz o índio.

Ventania é o responsável pela segurança de todos os espíritos que estão em Amor & Caridade. Índio, guerreiro experiente, foi cacique em sua última encarnação. Teve o perdão e a oportunidade oferecida por Daniel quando ele estava no Umbral sofrendo muito. Nos dias atuais ele dirige com sua mãe, Jurema, e seu pai, Lua Grande, uma aldeia espiritual que cerca toda a colônia. É feliz, jovem e muito bonito. Vive ao lado de seu espírito afim, Lua Vermelha, seu grande amor. Todas as vezes que os iluminados de Amor & Caridade precisam descer a planos mais densos, é ele quem faz a segurança e é o único que tem permissão para transitar nos planos mais densos, tais como o Umbral.

Ao se afastarem da Colônia, Mateus fica impressionado com a beleza do lugar.

– Olhem como é linda a Colônia Amor & Caridade vista daqui de fora.

– Sim. Realmente é mágica esta visão – diz Nina.

– Olhem, os anéis coloridos não são fixos, eles ficam refletindo luzes coloridas.

– Sim, realmente é um lugar muito especial – diz Ventania.

A colônia, vista de longe, parece uma cidade flutuante envolta por luzes coloridas. Uma névoa muito clara cerca todo o lugar. Parece que Amor & Caridade é uma cidade dentro das nuvens.

– Como Deus é perfeito! – diz Nina, maravilhada com a visão.

– Realmente. Se todos pudessem ver o que estamos vendo agora, certamente tudo seria mais fácil – diz Nina.

– É verdade, Nina, os seres preferem viver pelo materialismo quando se pode viver em plenitude pelas coisas espirituais – diz Lucas.

– Muito bem, Lucas. Eu, que vivo aqui e ali, posso lhes assegurar que aqueles que perderem esta oportunidade se arrependerão muito, pois o Criador privilegia a criatura oferecendo as oportunidades da evolução. Agora só nos resta vivenciar de maneira plena tudo isso que foi criado especialmente para os espíritos – diz Ventania.

– Belas palavras, meu amigo – diz Nina.

– Venham! Vamos por esta estrada à direita – diz o índio se posicionando à frente do grupo.

– Vamos passar pelo Umbral? – pergunta Nina.

– Sim – responde Ventania.

– Existe mesmo a necessidade de passarmos por lá de novo? – pergunta Mateus.

– Por que está receoso, meu jovem?

– Não tenho boas lembranças desse lugar – diz Mateus.

– O Umbral é necessário a todos aqueles que saem do plano encarnatório.

– É verdade – diz Nina.

– Mas por que é necessário? – pergunta Lucas.

– Todos aqueles que saem do planeta Terra necessitam passar por uma espécie de purificação, poucos são aqueles que seguem direto para as colônias.

– Perdoe-me, Nina, mas não compreendi – diz Lucas.

– Posso responder, Nina? – diz Ventania.

– Claro, meu amigo, por favor!

– Todos que saem da Terra levam consigo um pouco de sujeira, que precisa ficar no Umbral. Ódio, preguiça, inveja, avareza, mentira, vícios, enfim, todas as mazelas da encarnação precisam ser depuradas no Umbral.

– Perdoe-me, Nina, mas o índio nos explicou muito bem. Agora entendo por que esse é um lugar muito cheio.

– Sim, mas o tempo de estada aqui é determinado por vários fatores. Alguns ficam aqui durante anos; outros, por milênios, mas existem alguns que ficam por horas ou até mesmo, minutos.

– Sim, justiça divina – diz Nina.

– Sim, é isso mesmo, justiça divina. Tudo o que se planta, se colhe.

– Verdade – diz Lucas.

– Não se pode colher mamão onde se planta jiló.

– Verdade, índio – diz Mateus.

– E é assim que funcionam as coisas por aqui.

– Como assim? – insiste Lucas.

– Aqueles que vêm para o Umbral têm que aceitar as determinações daqueles que administram isso aqui, ou você acha que o Umbral não é administrado?

– Claro que não. Eu, sinceramente, acho até que é um lugar de difícil administração – diz Lucas.

– Sim, é realmente muito difícil administrar o Umbral.

– Por que, índio? – insiste Lucas.

– É muito simples compreender. Todos aqueles que acordam no Umbral passam a ter a certeza da continuidade da vida, e isso para alguns é benéfico, mas para muitos outros funciona de forma diferente.

– Como assim?

– Aqueles que compreendem a eternidade normalmente se revoltam contra Deus e se unem para desestabilizar o progresso espiritual dos encarnados; por isso nós estamos trabalhando bastante para harmonizar a Terra para que a regeneração se dê de forma tranquila. O que, confesso, acho difícil de acontecer – diz Ventania.

– Nós estamos trabalhando bastante para que tudo aconteça de forma serena – diz Nina.

– É, Nina, eu também tenho trabalhado bastante para isso – diz o índio.

– E nós, o que poderemos fazer? – pergunta Mateus.

– Você, Mateus, já aceitou a sua missão. Agora precisamos achar Lola para que você possa, ao lado dela, caminhar em sua trajetória evolutiva.

– Disso já tenho ciência, índio, e lhe agradeço muito por me ajudar a achá-la.

– Não pense você que será fácil encontrá-la – diz Ventania.

– Mas você, com toda a sua experiência, não sabe onde ela está? – pergunta Nina.

– Nina, eu até tenho uma noção de onde ela está; o problema é que Lola está trabalhando como pomba-gira, tomando conta de determinado perímetro que está sob sua proteção, mas para se entrar neste lugar exige uma transformação psíquica muito grande.

– Teremos que nos transformar? Como assim?

– Calma, Nina, não é tão difícil assim – diz o índio.

– Eu também não estou entendendo nada – diz Lucas.

– E eu, muito menos – diz Mateus.

– Vamos continuar nossa caminhada, e onde pararmos para descansar eu lhes explico melhor.

– Sem problemas – diz Nina.

– Eu lhes peço que fiquem atentos, pois iremos passar pela região onde estão sendo separados aqueles espíritos que serão exilados com a regeneração.

– Sim, eu conheço bem este lugar – diz Nina.

– É, mas eles não conhecem e podem se assustar – diz o índio.

– Nós ficaremos ao seu lado, índio, assim não nos assustarão – diz Lucas.

– Não é só vocês que podem se assustar. Ocorre que os espíritos que já estão separados para o exílio estão sofrendo muito, e isso certamente irá afetá-los.

– Eu não gosto de ver ninguém sofrer – diz Mateus.

– Pois é, querido Mateus, mas estes espíritos tiveram suas oportunidades e agora não há mais o que fazer.

– É lamentável que alguns não compreendam que Deus é amor e que não custa nada ouvir a voz que sai de dentro de todos nós quando nos diz amai-vos – diz Nina.

– Verdade, Nina – diz Lucas.

– Vamos passar sem fazer barulho para não sermos percebidos – diz Ventania.

O lugar é sombrio, há um muro de aproximadamente seis metros de altura. Pouca luz e muito lamento é o que se houve na estrada que passa ao lado do lugar de sofrimento e dor.

Nina fica triste e todos logo percebem que ela está sofrendo por aqueles que sofrem neste lugar horrível.

Lentamente o grupo passa sem ser percebido. Após algum tempo, resolvem descansar e se prepararem para o dia seguinte. O lugar escolhido é um pouco mais tranquilo, não há espíritos por perto. O índio desce de seu cavalo e convida todos a descansar.

– Vamos descansar aqui. Amanhã sairemos cedo para o lugar de encontro de Lola.

– Não vejo a hora de encontrar meu grande amor – diz Mateus.

– Mas índio, me perdoe a ignorância, aqui há dia?

– Sim, no Umbral se conta dia, semana e mês.

– Ah, entendi, desculpe-me – diz Lucas.

– Estamos muito próximos da Terra. Tudo aqui se assemelha ao mundo material, por isso há dia e noite.

– Entendi, desculpe a minha ignorância – diz Lucas.

– Você ainda é um jovem, Lucas, logo ficará mais atento às coisas daqui. Afinal, você terá que acompanhar Mateus por algum tempo. Mas você tem Nina, e ela já é bem experiente – diz o índio.

– Ainda bem – brinca Lucas.

– Desçam de seus cavalos e arrumem suas coisas, vou improvisar uma pequena fogueira e preparar um chá. Temos que esperar nossa visita.

– Como assim? – diz Nina.

– Hoje receberemos uma visita muito especial que, tenho certeza, os deixará muito contentes – diz o índio.

– Novidades. Espero que sejam agradáveis – diz Mateus.

– Sem dúvida, vocês ficarão muito felizes com a visita – diz o índio.

— Você e seus mistérios... – diz Nina, feliz.

— Não há mistérios, o que há são oportunidades que devemos sempre aproveitar para enriquecer-nos dos conhecimentos dos mais evoluídos, é só isso – diz o índio.

— Agora fiquei extremamente curioso – diz Lucas.

— Vou buscar um pouco de lenha – diz o índio se afastando do grupo.

— Não demore – diz Nina.

— Pode deixar.

— Venham, meninos! Vamos arrumar nossas coisas e dar um pouco de descanso aos animais.

— Sim, Nina – diz Lucas, que é auxiliado por Mateus.

*Em lugar da fé cega que anula a liberdade de pensar, ele diz: Não há fé inquebrantável senão aquela que pode olhar a razão face a face em todas as épocas da Humanidade. À fé é necessária uma base, é a inteligência perfeita daquilo que se deve crer; para crer não basta ver, é necessário, sobretudo, compreender. A fé cega não é mais deste século; ora, é precisamente o dogma da fé cega que faz hoje o maior número de incrédulos, porque ela quer se impor e exige a adição de uma das mais preciosas faculdades do homem: o raciocínio e o livre-arbítrio.*

*O Evangelho Segundo o Espiritismo*

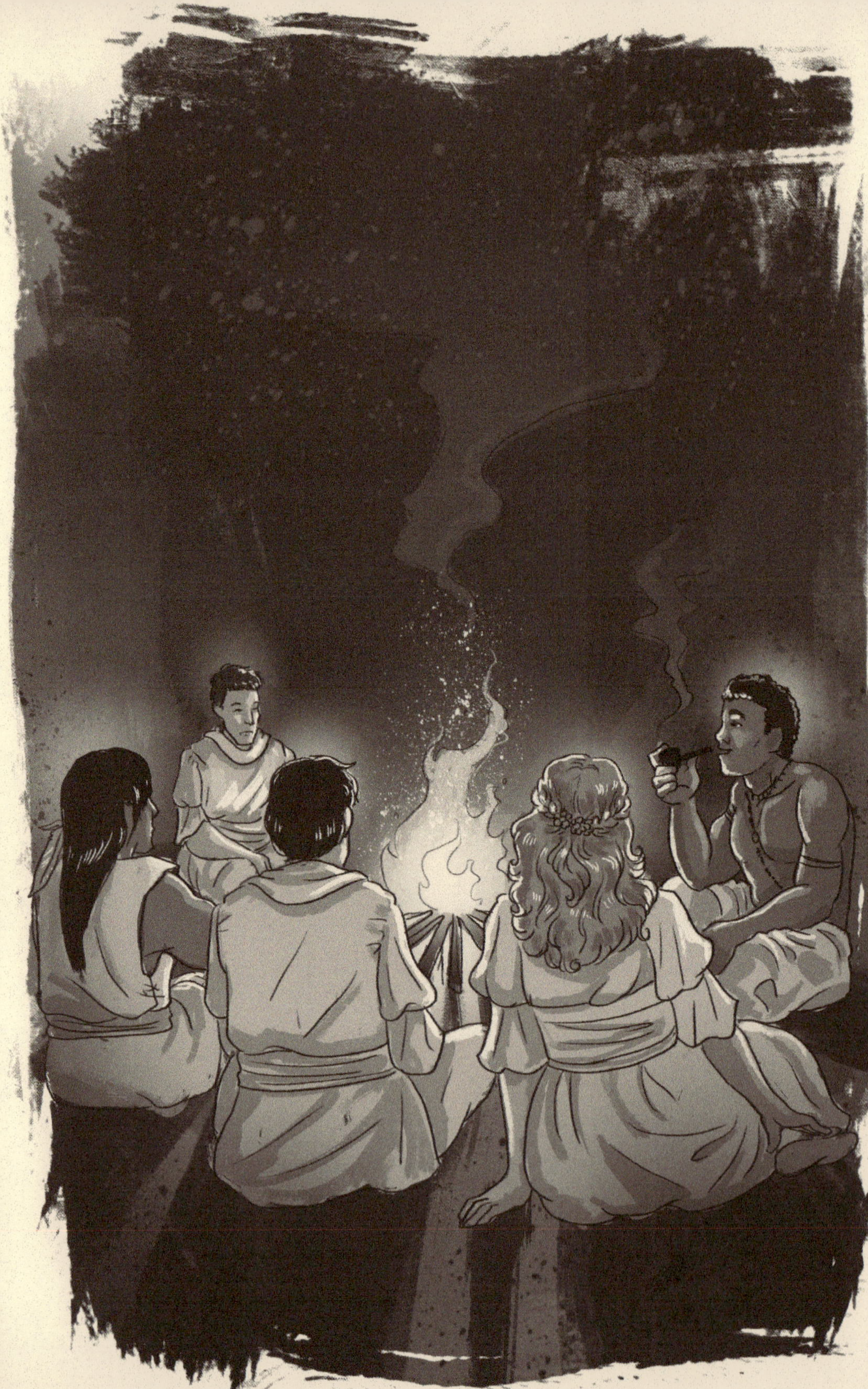

OSMAR BARBOSA

# A grande lição

O frio e a escuridão tomam conta do lugar. A única luz presente é a luz da pequena fogueira alimentada com gravetos retorcidos que o Caboclo Ventania colheu. Uma pequena vasilha colocada sobre pedras aquece um pouco de água que o sábio índio aproveita para fazer chá que todos bebem.

– Estava mesmo com saudades deste seu chá, Ventania – diz Nina.

– Obrigado, Nina.

– Onde está a nossa visita, Ventania?

– Já está por chegar – diz o índio.

– Você não quer nos falar nada a respeito da visita? – pergunta Lucas, curioso.

– Na verdade, receberemos duas visitas, uma a cada tempo.

– Como assim? – diz Nina.

– A juventude faz despertar sentimentos impressionantes em todos os espíritos da criação – diz Ventania, sorrindo.

– Eu não estou curiosa – diz Nina.

– Você é a menos ansiosa, Nina – diz o índio.

– Confesso, estou demasiadamente curioso para saber quem é que vem a um lugar fedido como esse para nos visitar.

– Ele é um grande amigo e vem em missão nobre – diz Ventania.

– Espero que não seja uma surpresa desagradável – diz Lucas.

– Lucas! – diz Nina, chamando a atenção do amigo.

– Perdoe-me, Nina, é que realmente estava mesmo precisando descansar.

– Nada lhe impede, Lucas – diz Mateus.

– Só a curiosidade – diz Nina, rindo.

– Vocês poderiam me deixar em paz um pouco? O que acham? – diz Lucas, contrariado.

– Só estamos nos descontraindo, Lucas, não se aborreça.

– De forma nenhuma eu fico aborrecido.

– Olhem, meu amigo está chegando – diz o índio.

Todos conseguem ver um vulto vindo em direção a eles. Aos poucos a figura pode ser avistada com mais nitidez. Trata-se de um rapaz de uns vinte e cinco anos aproximadamente, negro, cabelos crespos e dentes brancos. Veste uma calça branca que vai até o joelho e não usa camisa. Na mão direita traz um cachimbo aceso que logo prende entre os dentes. À mão esquerda uma pequena bengala que o auxilia a caminhar, embora não precise. Caminha curvado como um velho.

– Boas-noites, amigos! – diz o jovem negro aproximando-se do grupo.

– Seja bem-vindo, meu amigo! – diz Ventania.

Nina, Lucas e Mateus se levantam para cumprimentar o visitante que se aproxima a passos lentos.

– Boas-noites, jovens – diz o visitante.

Todos cumprimentam o rapaz e se sentam.

– Deseja um chá? – oferece Nina.

– Não, obrigado – diz o rapaz.

– Como vai, Ventania?

– Estou bem e você?

– Muito bem.

– São estes os jovens que tenho que instruir?

– Sim, são estes os enviados por Daniel.

– Quem de vocês quer encontrar-se com Lola?

– Eu, senhor – apresenta-se Mateus.

– E os demais, o que fazem aqui?

– Estamos seguindo as orientações de Daniel, que nos pediu para acompanhar Mateus até que ele se encontre com Lola – diz Nina.

– Você não é a Nina?

– Sim, sou Nina. Você me conhece?

– Ouço muito falar de você por aqui.

— Olha que bom! – diz a jovem.

— Sim, você tem feito um excelente trabalho com as crianças que saem daqui por causa do câncer.

— Sim, essa é a minha função em Amor & Caridade.

— Parabéns! – diz o rapaz.

— Então, vamos direto ao assunto!

— Vamos sim, dizem todos.

— Vá com calma, meu amigo – diz Ventania.

— Pode deixar.

— Ocês, muzi fio, têm que intendê uma coisa – diz o rapaz trocando o linguajar.

Nina, Lucas e Mateus ficam sem entender bem o que está acontecendo.

Nina fixa o olhar em Ventania como se estivesse assustada.

— Calma, Nina, preste atenção no rapaz – diz o Caboclo.

— Ocês ficam assustado com o jeito que o nêgo fala, num é? Fica não, nêgo é nêgo. E nêgo só qué ajudá ocês, é só ajuda.

— Ventania, por que ele está falando assim? – diz Lucas, assustado.

— Foi isso que falei sobre psiquismo.

— Mas o que é isso? – insiste o rapaz.

– Posso explicar, Ventania? – diz Nina, mais serena.

– Claro, Nina – diz o índio.

– Na Filosofia, o psiquismo faz parte de uma doutrina filosófica que supõe ser a alma formada por um fluido especial que anima todos os seres vivos – diz Nina, serenamente.

– Muito bom, Nina! Isso quer dizer espírito?

– Sim, espírito – diz Nina.

– O psiquismo dorme no mineral, sonha no vegetal, sente no animal, pensa no homem – completa a jovem, serenamente.

E ela diz que, no Livro dos Espíritos, Allan Kardec pergunta sobre a origem da alma do homem; onde o espírito cumpre a primeira fase de sua evolução. Os espíritos respondem que esta primeira fase acontece numa série de existências que precedem o período a que chamamos de humanidade.

– Então quer dizer que este nosso amigo está se utilizando deste linguajar que já pode ter sido um linguajar seu em outra encarnação? – pergunta Mateus.

– Sim, Mateus, é exatamente isso. Nosso amigo, que nesta jornada chamamos de preto velho, utiliza-se desse linguajar para suas comunicações mediúnicas nos centros espíritas onde trabalha hoje em dia.

– Mas ele não é velho? – diz Lucas.

– Sim, Lucas, ele não é velho assim como você não é uma entidade ou um espírito que viveu por todas as suas encarnações nas ruas. O que importa são as experiências que você adquiriu durante suas encarnações; são elas que agora lhe serão muito úteis para que você possa definitivamente alcançar sua evolução e principalmente resgatar todas as suas dívidas.

– Mas por que você se utiliza deste linguajar? – pergunta Mateus ao jovem amigo.

– Utilizamos esta forma psíquica para poder influenciar as pessoas a estudarem o espiritismo, que é a única religião redentora – diz o rapaz.

– E funciona? – pergunta Lucas.

– Tem funcionado muito bem em todo o planeta. Por meio dos atabaques, dos cânticos e das obrigações impostas por nós aos encarnados conseguimos que eles se aproximem mais das coisas de Deus e assim trazemos todos os dias para o seio da espiritualidade centenas de novos adeptos de Cristo Jesus.

– Entendi, quer dizer que vocês usam do psiquismo adquirido durante as existências para trabalharem na obra de Deus?

– É isso mesmo, Mateus. Assim tudo se cumpre: lembre-se: Onde houver um ou mais em meu nome com eles estarei.

– Sim, compreendi que não importam os meios e sim o objetivo.

– Muito bem, Mateus, é isso mesmo.

– Mas tem algo mais que vocês precisam saber – diz Ventania.

– Diga-nos, por favor!

– Vou deixar meu amigo explicar.

– Pois não, Ventania – diz o negro.

– Nas casas espíritas onde trabalho sou conhecido como Pai Cipriano das Almas. Meu lugar de trabalho, ou melhor, minha missão é ajudar todos aqueles que por meio da fé buscam ajuda nas casas espíritas sérias.

– Conte-nos um pouco mais sobre você – diz Nina.

– Quer saber mais sobre mim?

– Sim, gostaríamos de conhecê-lo melhor – diz Lucas.

– Minha história é muito antiga.

– Não importa, gostaríamos de saber – insiste o rapaz.

– Temos a noite toda – diz Mateus.

– Conte-nos, por favor – diz Nina.

– Posso, Ventania?

– Claro que sim! – diz o Caboclo, feliz.

– Então vamos lá: lá pelos meados do século XVIII, eu era um negro e fui escravizado por um senhor; eu era conhecido pelo nome de Cipriano, o bruxo da senzala do sul. E por que eu tinha esse nome? Eu fui escravizado ainda jovem, trabalhei nas roças de café, cana-de-açúcar e trigo, de sol a sol por longos e longos anos. Contudo, à noite na senzala, eu sempre me empenhei a aprender com os mais velhos as magias, benzeduras e todas as coisas místicas, em que cada um era especialista.

Eu era extremamente dedicado ao que fazia, e aprendi todas as formas de magias e benzeduras, eu tive vários mestres negros. E foi assim que me tornei um grande benzedor e entendedor de magias africanas, fazendo delas um ponto positivo para auxiliar a todos que delas necessitavam. Eu procurava ajudar com toda a dedicação e carinho.

Por esse motivo fiquei conhecido por toda a região como o negro que retirava espíritos sem luz, que curava com suas magias, que acalmava as dores com suas benzeduras, além de ser um dos mais entendidos sobre ervas e suas benevolências.

Nos dias de hoje me apresento como Entidade de Luz nos terreiros de umbanda, onde trabalho na linha das almas. Sou um preto velho muito solicitado pela atuação dentro do encaminhamento de obsessores e quebra de magia negra.

– Obsessores... Como assim? – pergunta Lucas.

– Determinados espíritos, quando conhecem sua condição de espírito eterno, desejam se vingar de seus algozes e assim tomam a forma de obsessores que comprometem os resgates daqueles que precisam, na verdade, de ajuda e não de sofrimento; e é aí que nós estamos atuando.

– Entendi.

– Vocês acabam se utilizando de seus conhecimentos com os elementos da natureza para auxiliar os encarnados em aflição.

– Isso Nina, é isso mesmo – diz Ventania.

– Posso prosseguir?

– Sim, claro perdoe-nos, Cipriano – diz Mateus.

– Então vamos adiante: nos dias de hoje, quando chego ao terreiro, muitas pessoas parecem temer por saber quem sou verdadeiramente, e o que represento nas casas espíritas. Muitos me assemelham a um bruxo. Mas sou apenas uma Entidade de Luz, que foi abençoada por Deus, para poder retornar como entidade para auxiliar os necessitados, e isso eu faço com muita dedicação, carinho e amor. Uma das minhas características é chegar aos centros espíritas de joelhos, ou arrastando uma das pernas ou mesmo as duas, e isso tem um motivo que faz parte de minha história na vida terrena, ainda como escravo.

– Perdoe-me, Cipriano, mas isso é realmente necessário? – pergunta Lucas.

– Olha, Lucas, muito do que acontece dentro dos centros espíritas provém do médium, que se vale de sua falta de conhecimentos e despreparo, para chamar a atenção e sobressair sobre os demais operários do bem.

– Mas você permite, isso? – diz Nina.

– Nina, tudo é permitido quando o objetivo é a caridade, sincera e verdadeira.

– Enganar pessoas não é nada bom – diz Mateus.

– Na verdade, Mateus, não há enganos, porque não se pode pedir nada em troca. Quando você usa de artifícios que embora não pareçam normais, quando esses artifícios têm como objetivo a salvação, tudo é válido diz Cipriano.

– Entendi, amigo, entendi – diz Lucas.

– Prossiga, meu amigo – diz Ventania.

– Obrigado, irmão. Como eu já havia dito, nos meados do século XVIII, eu era um negro escravizado, mas extremamente respeitado pela fama que corria a região, a qual dizia que eu era o bruxo das senzalas. Essa fama me foi boa, porque me trouxe respeito, mas também trazia o carinho de meus irmãos negros, pois todos sabiam que além da fama de bruxo, eu tinha outra fama, de sempre fazer o possível e o impossível para auxiliar alguém que necessitasse de minha ajuda, sendo nas magias e benzeduras simples, como a mais alta magia que por mais complicada e difícil de ser realizada, se fosse para curar, sanar mazelas, retirar obsessores, ou qualquer coisa que necessitasse da minha ajuda, eu fazia, sem temer obstáculos.

E foi dentro desse pensamento que, certa vez, fui solicitado pelos pais de uma criança negra, que se esvaía em sangue, numa hemorragia sem motivo físico. Seus pais estavam desesperados, sem condição de procurar ajuda para sanar aquela hemorragia de seu pequeno filho, pois ao pedirem desesperadamente ajuda aos feitores, foram ameaçados de serem levados ao tronco. Diante do fato gravíssimo, um dos negros se lembrou das bruxarias e benzeduras que eu fazia, e ao falar aos pais da criança, foram imediatamente me pedir ajuda. Eu fui até a criança, que nesse momento já estava com a respiração pesada, olhos cerrados e perdendo sangue por entre orifícios. Peguei uns galhos de arruda, guiné e benjoim, fiz uma benzedura, fazendo com que a respiração da criança se acalmasse, e assim coloquei as mãos abertas no peito do menino, daí fechei os olhos e examinei a criança espiritualmente.

Após alguns minutos, em um transe profundo, meu corpo foi jogado ao chão por uma força descomunal que vinha do corpo da criança. Essa força invisível fez com que eu acordasse do transe, não me deixando terminar o tratamento espiritual do menino. Foi quando eu me levantei e novamente aconteceu a mesma coisa. E nessa segunda tentativa pressenti que ali existia muito mais que uma força que não aceitava que eu tentasse curar aquela criança, mas algo demoníaco que obsidiava o garoto, tentando tomar conta de seu espírito ao ponto de induzir-me a que sua alma o seguisse na escuridão eterna.

Ao sentir que a mazela do menino negro não era apenas um mal físico, eu me fechei em oração junto a Deus e a Jesus, nos quais tenho extrema fé. Tive imediatamente uma visão das ervas que deveria utilizar para um banho que levaria aquela força do mal para longe do menino, e assim poderia, com minha benzedura, magia e fé, fazer com que eu tivesse êxito na cura do corpo físico, já tão debilitado.

Pedi naquele momento aos presentes que ficassem em oração, pois eu precisava ir às matas fechadas, em um local único, para apanhar as ervas e assim dar continuidade à cura do menino. E assim fiz.

Embrenhei-me pela mata, seguindo o caminho que me foi indicado por meio de uma visão espiritual. Cada vez mais distante da fazenda na qual estava a criança, eu via que a mata se fechava cada vez mais, chegando ao ponto de em certos lugares eu ter que passar totalmente abaixado. Enfim, encontrei o local indicado por minha visão e neste local consegui todas as ervas necessárias para fazer o banho, o chá e as benzeduras para salvar a vida daquela criança.

Após recolher as ervas de que necessitava, me apressei para chegar a tempo de salvar a pequena criança. E ao me embrenhar na mata novamente, senti que estava sendo observado, e logo em seguida consegui ver por quem.

Um enorme vulto negro, rodeado de vultos menores da mesma negritude, começou a ficar ao meu redor tentando fazer com que eu perdesse o rumo do caminho de retorno. Como me fixei no caminho, sem me deixar ser induzido pelos maléficos vultos, continuei a caminhar, deixando assim o grande vulto negro com mais ódio ainda.

Foi então que o grande vulto negro passou novamente por mim, fazendo menção de ataque. E novamente não me deixei abalar, foi então que o vulto maior e negro reuniu os demais comandados do mal tentando novamente atormentar-me. E enquanto os vultos menores vinham de todos os lados para cima de mim, o vulto maior seguiu até um covil de cobras, fazendo com que a mais venenosa das serpentes ficasse em posição de bote para me atacar quando eu passasse por ali.

E assim aconteceu, fui atacado pela venenosa serpente, um ataque rápido e certeiro em minha perna esquerda, fazendo com que eu caísse já delirando de tanta dor pelo veneno que se espalhava.

Foi nesse instante que me lembrei do pequeno menino, que era tomado pelos espíritos do mal; resolvi me fechar em oração pedindo a

Deus que me desse forças para eu conseguir chegar ao meu objetivo e assim curar a criança. Com minha fé grandiosa, juntamente com uma vontade descomunal, busquei forças, e olhando ao meu redor, notei que já não estava mais sendo ameaçado pelos vultos negros. Desse momento em diante me arrastei pela mata fechada, rente ao chão e junto às folhas e raízes que se sobressaíam por todas as fendas da terra. Cada vez mais cansado, com dores terríveis, já não sentia minhas pernas; uma, pelo veneno da serpente; e a outra, pelo esforço extremo de levar meu corpo adiante, desabei mais uma vez ao chão.

Foi então que olhei para o céu e clamei pela misericórdia divina; meus olhos lacrimejavam e eu tentei buscar na minha fé a força que necessitava para seguir o caminho de volta.

Foi nesse momento que uma luz muito forte apareceu diante de meus olhos, e dessa luz veio uma voz forte, mas serena, que me disse:

Cipriano, você tem nas mãos as ervas necessárias para acalentar sua dor física. Essas ervas podem curar sua perna ferida e envenenada pela serpente do mal. Basta pegar todas, e numa sequência esfregar uma a uma no local da picada, porém você terá que usar todas as ervas que tem em mãos nesse momento. Sabendo disso, você não terá como salvar o corpo físico da criança da morte, e consequentemente também não terá como salvar o espírito desse menino da escuridão na qual ele está sendo levado pelos espíritos sem luz, que estão nessa constante busca por esse menino por ele ser um espírito puro e iluminado, que virá no futuro ser um grande aliado do bem contra obsessores.

– Nossa, Cipriano, que história linda e comovente! – diz Nina.

– Mas ainda não a contei por inteira – diz Cipriano.

– Perdoe-me, mas estou emocionada com seu relato.

– Espere-o contar o resto, Nina.

– Desculpe-me, Ventania, desculpem-me.

– Que nada, prossiga, Cipriano, por favor – diz o índio.

– Sim, amigo. Nesse momento eu tinha que tomar uma decisão. E o espírito que se comunicava comigo prosseguiu e me alertou:

Você poderá usar seu livre-arbítrio nesse momento, você poderá usar as ervas para se curar, ou poderá arriscar sua vida e seguir em frente para salvar a vida e a alma do menino.

Eu poderia me curar e retornar em busca de mais ervas no local indicado, contudo eu não teria tempo hábil para retornar e salvar a vida da criança. Ao fim dessas palavras a luz desapareceu da mesma maneira que apareceu. Foi quando cerrei os olhos e os abri lentamente, olhando minha sacola com as ervas.

Olhei também para minhas pernas: a esquerda, já com um grande edema; e a direita, com feridas abertas por estar sendo arrastada pelo terreno tão danificado. Fechei novamente os olhos, fiz uma oração e segui meu caminho, rastejando por entre as folhas caídas, indo ao encontro do menino na senzala da fazenda.

Durante longo tempo rastejei, até que me deparei com uma

pequena trilha que ligava a mata à fazenda, que para mim foi um alívio e uma vitória. Consegui chegar à fazenda, e lá fui auxiliado pelos meus irmãos negros a ir até a senzala onde estava a criança. Chegando diante do menino, rapidamente me pus a fazer minhas orações, minhas benzeduras e as mágicas curas por intermédio das ervas que eu tinha em minhas mãos.

Delas, também fiz chá, e logo que iniciei o trabalho de cura física e espiritual do menino, já pude observar uma melhora grandiosa. Quando me aproximei do menino, ao colocar as mãos em seu peito para dar continuidade à limpeza dos obsessores, o grande vulto negro que eu tinha visto na mata apareceu-me, mas já sem forças, e foi conduzido para longe dali por espíritos de luz que me auxiliaram e se afastaram do menino para sempre.

A criança se recuperou rapidamente, deixando seus pais eternamente agradecidos a mim. Eu, porém, após controlar o veneno que agia maleficamente em meu corpo, fiquei com as pernas sem movimento: a esquerda, pela picada da serpente; e a direita, pelo esforço extremo que fui obrigado a fazer para chegar até a fazenda.

Desencarnei com mais de oitenta e cinco anos. E no dia de meu desencarne, como eu sabia que estava chegando o momento de partir da vida terrena, pedi aos negros que se reunissem à minha volta, e juntos fizemos orações a todos os espíritos que me ajudaram e pedi especialmente a Jesus que me recebesse de braços abertos.

Na verdade, desencarnei nos braços do menino negro, que nessa época já era um homem feito, aquele mesmo que eu salvei da morte e das garras de obsessores da escuridão. Esse menino cresceu com um respeito grandioso por mim, tanto que ele seguiu meus passos, e se dedicou a aprender todas as benzeduras, mandingas e o domínio das ervas, sendo para curas físicas ou espirituais, e que mais tarde também, como eu, ele virou uma Entidade de Luz trabalhadora de Aruanda, e leva o nome de Pai José.

– Nossa, que história fascinante, Cipriano! – diz Nina.

– Tudo aqui é fascinante, Nina – diz Ventania.

– Este é um lugar mágico, apesar de triste e sombrio.

– Aqui se misturam muitos elementos. E essa mistura fluídica é realmente magnífica – diz Cipriano.

– Assim a cada dia aprendemos mais as coisas de Deus – diz Mateus.

– É verdade, Mateus, achar que Deus perde oportunidades evolutivas realmente é uma perda de tempo.

– O que mais atrapalha não é o entendimento das coisas de Deus, e sim o achismo dos encarnados.

– Verdade, o achismo atrapalha por demais a evolução de todos.

– Pois é, Nina, estamos nos esforçando para que o progresso seja rápido. Mas o que vemos, senão o preconceito, as falsas verdades e o achismo? – diz Lucas.

– Isso não nos compete discutir. A nós, trabalhadores do bem, só resta obedecer aos desígnios dos superiores e seguir auxiliando o Criador e a criatura – diz Cipriano.

– Quer dizer que para impressionar e auxiliar posso me utilizar de jeitos, trejeitos e linguagens?

– Sim, se o propósito for construtivista, sim – diz Ventania.

– Mas há aqueles que enganam as pessoas?

– A mentira é uma caraterística dos escritos baixos que infelizmente está muito presente em todos os lugares.

– Nas casas espíritas também? – pergunta Lucas.

– Infelizmente sim, Lucas. Há espíritos que são trazidos por seus mentores ou até mesmo por seus ancestrais que intercedem para auxiliá-los a evoluir, e quando tudo está pronto, vem o assistido e deixa-se levar pela vaidade, ignorância e, principalmente, pela inveja.

– E o que acontece com eles? – pergunta Lucas.

– Normalmente eles voltam para o começo da fila.

– Mas e a regeneração? Eles poderiam ainda reencarnar?

– Alguns, sim; outros, não – diz Ventania.

– Oremos então – diz Nina.

– Sim, vamos fazer uma oração primeiramente em agradecimento por este encontro maravilhoso e depois por nossa missão – diz Nina.

– Vamos sim – diz Lucas.

– Cipriano, você se importa de fazer a oração por todos nós?

– Claro que não, Nina, é um prazer – diz o amigo negro.

– Vamos ficar de pé e darmos as mãos.

Eles se levantam, e em volta da fogueira, dão as mãos enquanto Cipriano profere uma linda prece.

*"Senhor Deus, Criador de todas as coisas, estamos em Sua presença para agradecer pelas oportunidades infinitas que Vós nos tendes oferecido por esta caminhada espiritual.*

*Agradecemos a cada segundo de provas e de ensinamentos que todos os elementos da natureza nos oferecem proporcionando-nos as oportunidades evolutivas necessárias a todos os filhos da Criação.*

*Senhor, olhe pelo fraco, pelo oprimido, pelo órfão, pelo doente, pelo desesperado, pelo carente, pelas crianças, pelos desassistidos, pelos que não creem em Tuas palavras, por aqueles que sofrem sem teto, sem alimento, sem saúde e sem paz. Que Sua bondade esteja sempre presente nos corações daqueles que mais têm para dar àqueles que mais têm para receber.*

*Que Sua paz esteja sempre nos lares, e nas esferas criadas por Ti da espiritualidade. Que a brandura de Sua paz esteja sempre presente nas escolas, nos hospitais, nos orfanatos, nos asilos e em todo lugar onde Tua palavra é presente ou ausente.*

*Senhor, o bálsamo de Sua grandeza esteja presente em nossos corações, que possamos sempre ser instrumentos de luz para todos os Seus filhos, nossos irmãos.*

*Graças a Deus..."*

*Cipriano*

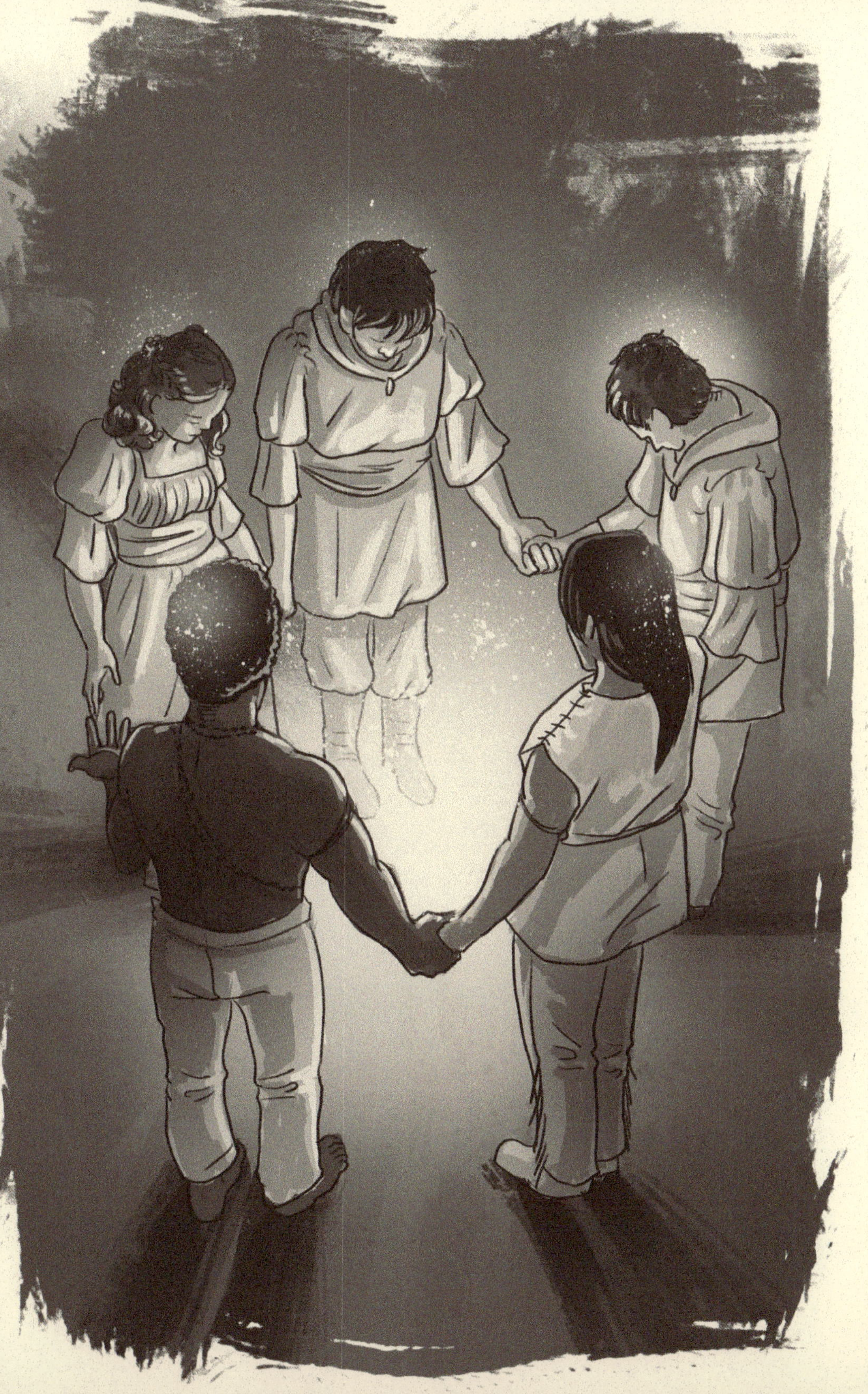

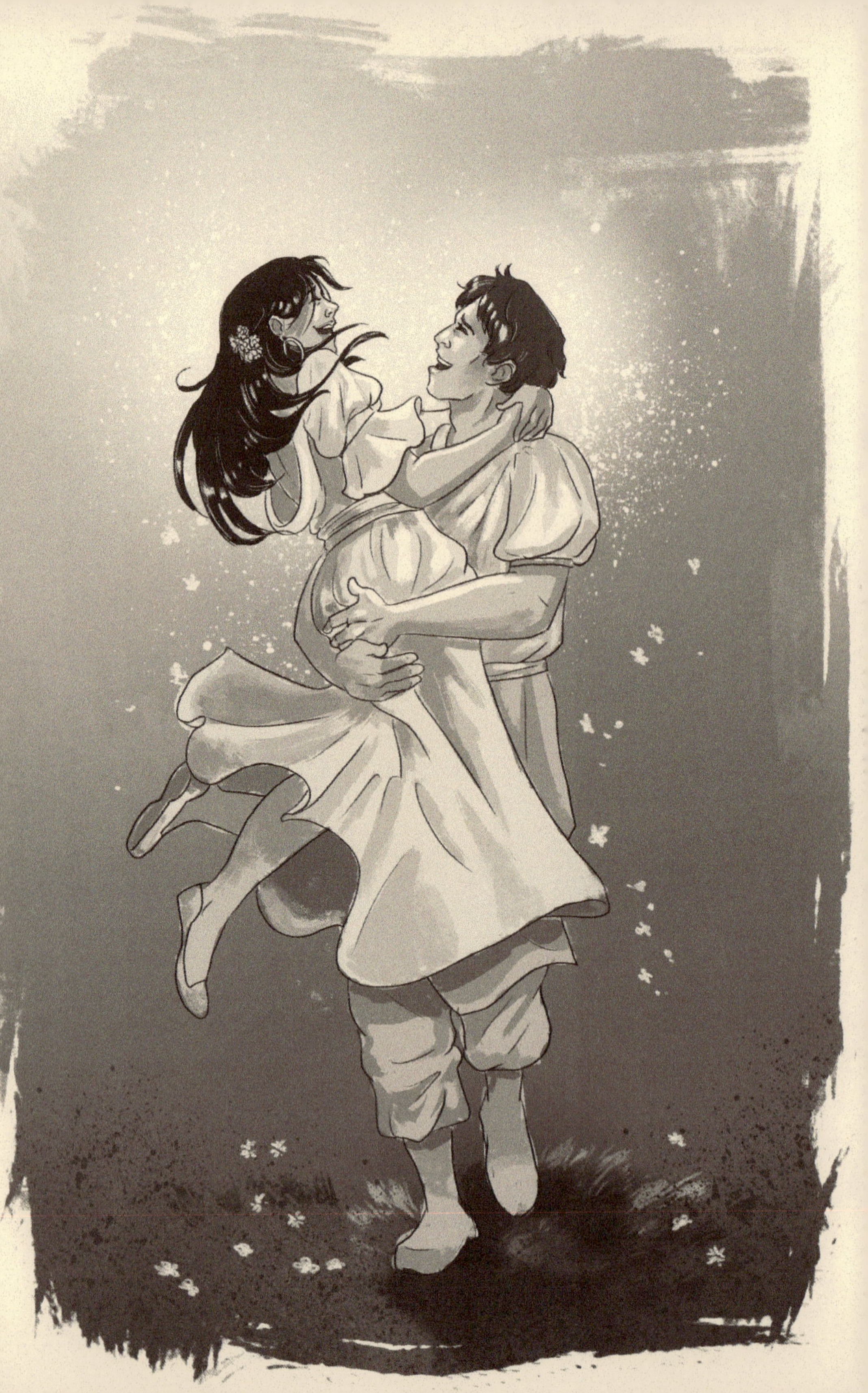

# Lola

O dia começa a nascer no Umbral. Ventania se aproxima do grupo que está arrumando suas coisas para partir.

– Os cavalos já estão prontos – diz Ventania.

– Onde está Cipriano?

– Ele foi à frente para preparar o encontro com Lola – diz Ventania.

– Nem descansei, acho que esta foi a mais longa noite de minha existência. Passei a noite toda pensando em Lola – diz Mateus.

– Já estamos próximos a ela, inclusive ela já pode sentir a sua presença – diz Ventania.

– Meu Deus, como assim?

– Não se esqueça de que vocês são espíritos afins, e afins se sentem.

– Isto é verdade, aconteceu comigo e Felipe – diz Nina.

– Então vamos logo – diz Mateus.

– Calma, já estamos indo, só falta Daniel autorizar – diz Ventania.

– Mas Daniel não está aqui!... – diz Lucas.

— Ele vai dar a autorização, vocês não se lembram quando saímos da colônia que ele disse que iria se comunicar?

— Sim, lembro-me muito bem – diz Nina.

— Então vamos esperar – diz Mateus, conformado.

— Olhem, Cipriano ainda está aqui – diz Lucas.

— Bons-dias, meninos!

— Bom-dia, Cipriano! – respondem juntos.

— Vamos seguir adiante?

— Estamos esperando autorização de Daniel – diz Nina.

— E como ele irá se comunicar com vocês? – pergunta Cipriano.

— Por meio desta tela aqui – diz Nina, mostrando a tela para Cipriano.

— Que interessante, como funciona?

— Basta abri-la – diz Nina.

— Então abra – diz Ventania, se aproximando.

Nina abre a tela e Daniel aparece.

— Bom-dia, meninos! Bom-dia, Nina! Vocês podem prosseguir. Lola está logo à frente esperando por vocês. Fiquem atentos e boa viagem! – diz Daniel.

— Obrigada, Daniel – agradece Nina.

– Venham, peguem seus cavalos e vamos seguir adiante – diz Ventania.

– Eu vou ficando por aqui – diz Cipriano.

Todos voltam e abraçam o jovem negro lhe agradecendo pelas histórias contadas durante toda a noite.

– Obrigada, Cipriano – diz Nina.

– Eu é que agradeço a oportunidade de estar ao lado de vocês – agradece Cipriano.

– Obrigado, amigo – diz Lucas.

– Vá com Deus e encontre logo seu grande amor, Mateus.

– Deus é contigo, Cipriano.

– Deus é com todos aqueles que amam a verdadeira caridade – diz Cipriano se afastando dos amigos.

– Venham, montem seus cavalos, precisamos sair rapidamente daqui – diz Ventania.

– Vamos – diz Nina.

Uma matilha de lobos negros se aproxima do grupo assustando Nina.

– Olhe, Ventania! Há lobos se aproximando de nós.

– Estão conosco, são eles que nos levarão a Lola.

– Como assim? – pergunta Lucas.

– Esses lobos trabalham com as falanges de exus espalhados sobre as encruzilhadas. Eles tomam conta do lugar.

– São como auxiliares? – pergunta Mateus.

– Sim, são auxiliares dos exus.

Dois dos maiores lobos se aproximam do cavalo de Mateus e passam a acompanhá-lo bem de perto.

– Ventania, estes dois lobos não saem de perto de mim – diz Mateus, assustado.

– Estes são seus lobos, são eles que lhe acompanharão nas empreitadas que você terá pela frente.

– E eles têm nome?

– Sim, chame-os como quiser – diz o índio.

– Vou chamá-los de Fiel e Escudeiro.

– Belos nomes! – diz Nina.

– Venha, Fiel, passe à frente – diz Mateus, testando sua autoridade.

Imediatamente o animal obedece e segue à frente do grupo.

– Que lindo! – diz Nina.

Após algumas horas cavalgando, o grupo entra em uma cidade.

– Fiquem atentos agora – diz Ventania.

Vários exus estão espalhados pelas encruzilhadas. Alguns rindo e bebendo, outros sentados fumando charutos e outros fumando cigarros. Tudo é muito assustador para Nina e Lucas, que se aproximam de Ventania buscando sua proteção.

– Fiquem tranquilos, eles não vão fazer nada com vocês – diz o experiente índio.

Várias mulheres estão espalhadas pelas ruas, algumas riem outras dançam bêbadas. Outras batem pandeiros como ciganas.

– Ventania, é aqui que Lola está? – pergunta Mateus.

– Ela está mais à frente e está lhe esperando – diz o índio.

– Ela já sabe que ele está aqui? – pergunta Nina.

– Sim, ela já foi informada.

– Por quem? – pergunta Lucas.

– Isso aqui é bem organizado, como já explicamos.

– Desculpe-me, Ventania.

– Vamos virar nesta rua à esquerda – instrui o índio.

Ao entrar à esquerda o cenário começa a mudar. A luminosidade aumenta e quase parece dia. Há árvores e uma espécie de praça onde há um lindo acampamento cigano. Mateus sente o coração explodir de alegria, sabe que sua amada está ali.

Ventania para seu cavalo e sinaliza para Nina e Lucas fazerem o mesmo.

Mateus segue sozinho para o centro do acampamento e desce do cavalo. Não há ninguém, o silêncio é total.

Mateus olha para trás e vê que seus amigos ficaram distantes. Ele coloca a mão sobre a testa para melhor enxergar a distância que o separa de Ventania, Nina e Lucas.

– Que será que deu na cabeça desses três que não me acompanharam até aqui?!

– Mateus! – diz uma jovem se aproximando.

– Lola – diz Mateus.

– Sim, meu amor.

Lola corre e joga-se nos braços de Mateus, que rodopia com o corpo de sua amada colado ao seu. Sua saia revoa ao vento produzido pelo gesto. Seus lábios se encontram. Seus cabelos soltos embelezam ainda mais a cena.

Vários ciganos se aproximam para saudar o nobre amigo que acaba de chegar.

Todos estão muito felizes. Nina, Lucas e Ventania se aproximam sem descer dos cavalos.

– Parabéns, Mateus, agora você poderá seguir adiante ao lado de seu amor – diz Nina.

– Obrigada, Nina, por trazê-lo para mim – diz Lola.

– Agora vocês têm permissão para, juntos, trabalharem nos centros espíritas e auxiliarem aqueles que precisam evoluir. Nunca se esqueçam de que as oportunidades são únicas e são a única ferramenta evolutiva. Façam o bem sempre – diz Ventania.

– Obrigado, meu amigo – diz Mateus, emocionado.

– Agora você tem tudo o que sempre sonhou, meu amigo – diz Lucas.

– Obrigado, Lucas, e não se esqueça de agradecer a Daniel.

– Pode deixar – diz Nina.

– Vocês não querem ficar um pouco conosco? – diz Lola.

– Não, Lola, esse não é o nosso lugar. Aqui, Mateus trabalhará como Exu Tranca Rua das Almas e terá a oportunidade de expressar e utilizar-se de todas as experiências vividas em suas vidas anteriores. A falange de Tranca Rua das Almas é, sem dúvida, uma das mais importantes falanges que estão estabelecidas na Terra. Esses nobres espíritos agora ganham um reforço, que tenho certeza, será muito útil a todos aqueles que buscam nas casas espíritas sérias sua evolução pessoal, sem preconceitos, sem dogmas, sem etnias enfim, sem julgamentos. Saibam que o mais importante para a espiritualidade é que tudo siga o curso natural, e o curso natural para Deus é a evolução.

– Obrigado, Ventania, pelas palavras – diz Mateus, emocionado.

– Aqui se cumpre o seu segundo encontro, Mateus. Que Deus seja seu objetivo maior! Fique em paz!

– Adeus, amigos.

– Adeus – diz Lucas.

Nina, Lucas e Ventania voltam à estrada. E assim tudo se cumpre.

## *Fim*

## Nota do autor

Quando comecei a receber este livro, logo me preocupei com o que as pessoas iriam esperar desta história. Confesso que também fiquei bem curioso para conhecer a história deste exu. Escrevi este livro em poucos dias, pois a ansiedade do Lucas em me relatar esta história era demasiadamente grande, e me deixou poucas alternativas.

Compreendi, na verdade, que aquilo que chamamos de diabos, capetas, entidades do mal, na verdade são uma falange imensa de nobres espíritos que aceitaram a tarefa de ajudarem na organização das energias deletérias que circundam todos os encarnados. Compreendi que esses espíritos são operários nobres, que merecem nosso respeito e nossa admiração. Esses espíritos trabalham incansavelmente para que tudo funcione de forma a atender as necessidades dos outros espíritos que descem nas milhares de casas espíritas espalhadas sobre nosso planeta para ajudarem na evolução de todos. Compreendi que são muito importantes quando solicitados a dar segurança para que tudo funcione como deseja Jesus. Conheci Lola, um espírito magnífico, que pude ver durante a psicografia e, confesso, fiquei surpreso com a beleza dela. Espero que esta história traga um novo olhar sobre essas entidades, ou melhor, sobre esses trabalhadores, que confesso, passo a admirar ainda mais.

Osmar Barbosa

*Tudo o que um sonho precisa para ser realizado é alguém que acredite que ele possa ser realizado.*

*Roberto Shinyashiki*

# Agradecimento a Exu

Senhor Exu, glorioso mensageiro do céu e da terra, senhor do sétimo grau de evolução da lei maior de Ogum, conhecedor de todas as magias e demandas praticadas por seres sem luz, interceda em meu caminho livrando-me de toda a energia que possa atrapalhar minha evolução; fazei de meus pensamentos uma porta fechada para a inveja, discórdia e egoísmo.

Dos sete caminhos por ti ultrapassados, foi na rua que passou a ser dono de direito, abrindo as portas para os espíritos que merecem ajuda e evolução e fechando para os que querem praticar a maldade e a inveja contra seus semelhantes.

Fazei meu coração mais puro que meus próprios atos.

Fazei de minhas palavras a transparência da humildade.

Fazei do meu corpo aparelho da caridade.

Pois ao teu lado demanda comigo não existirá, estarei coberto por sua capa que protege e abriga seus filhos. Senhor EXU glorioso mensageiro do céu e da terra, agradeço por tudo que me fizeste aprender nesta vida e em outras que passei ao seu lado, rogo por vós a proteção para mim, para meus irmãos de fé, para minha família.

Abençoe e guarde esses filhos que um dia entenderam o verdadeiro sentido da palavra Exu.

Laroiê Exu!

## *Outros títulos lançados por Osmar Barbosa*

Conheça outros livros psicografados por Osmar Barbosa. Procure nas melhores livrarias do ramo ou pelos sites de vendas na internet.
Acesse
www.bookespirita.com.br

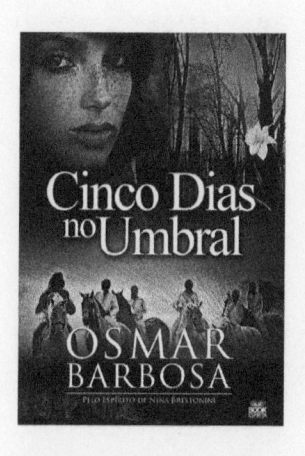

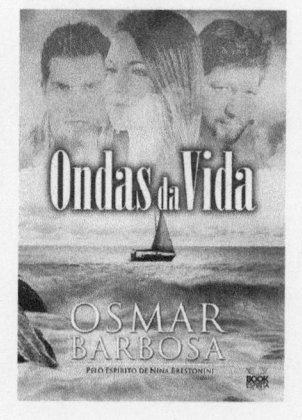

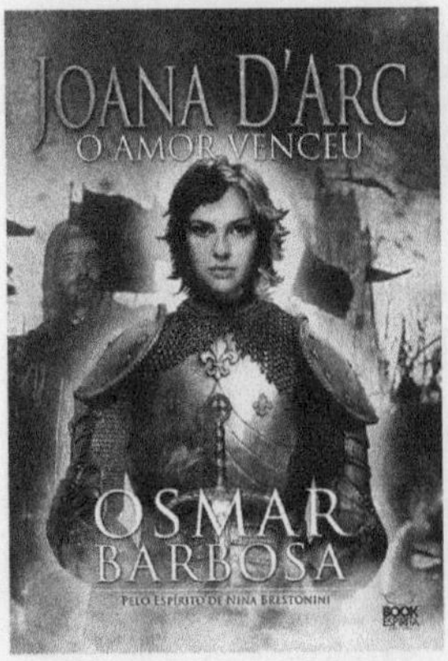
JOANA D'ARC
O AMOR VENCEU
OSMAR
BARBOSA
PELO ESPÍRITO DE NINA BRESTONINI

OSMAR
BARBOSA
PELO ESPÍRITO DE NINA BRESTONINI
ALÉM DO SER
A História de um Suicida

A BATALHA DOS
ILUMINADOS
OSMAR
BARBOSA
PELO ESPÍRITO DANIEL

500
almas
OSMAR
BARBOSA
PELO ESPÍRITO DE NINA BRESTONINI

OSMAR
BARBOSA
PELO ESPÍRITO LUCAS
EU SOU
EXU

OSMAR
BARBOSA
Gitano
AS VIDAS DO
CIGANO RODRIGO

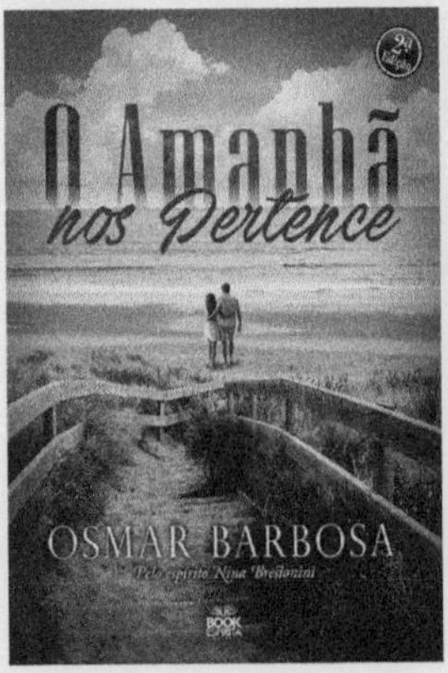
O Amanhã
nos Pertence
OSMAR BARBOSA
Pelo espírito Nina Brestonini

Mãe,
voltei!
OSMAR BARBOSA
PELO ESPÍRITO NINA BRESTONINI

O Lado
Azul da
Vida
OSMAR
BARBOSA

OSMAR
BARBOSA
DEPOIS...

O
LADO
OCULTO
DA
VIDA
OSMAR
BARBOSA
Pelo Espírito de Daniel

Entrevista
com
Espíritos
Os Bastidores do Centro Espírita
por
OSMAR
BARBOSA

Entre Nossas
Vidas
OSMAR
BARBOSA
Pelo Espírito de Nina Brestonini

COLÔNIA ESPIRITUAL
AMOR & CARIDADE
Dias de Luz
OSMAR
BARBOSA
Pelo Espírito de Daniel

Cinco Dias
no Umbral
O Resgate
OSMAR
BARBOSA
Pelo Espírito de Nina Brestonini

OSMAR
BARBOSA
Pelo Espírito de Lucas
Amigo
Fiel

VINDE A MIM
O Evangelho no Lar
OSMAR
BARBOSA
Pelo Espírito de Daniel

IMPUROS
A Legião de Exus
OSMAR
BARBOSA
Pelo Espírito de Lucas

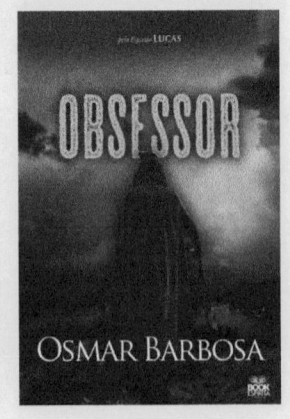

- O Médico de Deus — OSMAR BARBOSA
- Autismo: A Escolha de Nicolas — OSMAR BARBOSA
- Umbanda para Iniciantes — OSMAR BARBOSA
- Parafraseando Chico Xavier: Seleção das mais belas frases de Chico Xavier — OSMAR BARBOSA
- Cinco Dias no Umbral: O Perdão — OSMAR BARBOSA
- Acordei no Umbral — OSMAR BARBOSA
- A Rosa do Cairo — OSMAR BARBOSA
- Deixe-me Nascer — OSMAR BARBOSA
- Obsessor — OSMAR BARBOSA

**REGENERAÇÃO UMA NOVA ERA**
OSMAR BARBOSA

**DEAMETRIA — Hospital Amor & Caridade**
OSMAR BARBOSA

**A Vida depois da Morte**
OSMAR BARBOSA

**BOOK ESPÍRITA**
EDITORA

Esta obra foi composta na fonte Times New Roman corpo 12.
Rio de Janeiro, Brasil, outono de 2016.